◎世纪新版◎

小林克己
摇滚吉他教室

中级篇

著◎〔日〕小林克己
译◎杨洋 龙坚 王进

Rock Guitar School
By Katsumi Kobayashi
for Intermediate Players

湖南文艺出版社

前　言

　　摇滚吉他，并不是一定需要师从于谁而进行学习，完全可以通过自己坚持不懈的练习来掌握。在当今世界著名的吉他手当中，有几个是从吉他学校毕业或者是靠老师教出来的呢？客观地说，一个也没有。无论是从别人的演奏中得到启发，还是被别人指出自己弹奏的缺点，他们仍是靠着自学，并且长年累月地反复练习，才获得了今天的成就。本书将为你提供有效的练习方法，并以建议和指导为中心，用准确的练习加以解说。关键就看各位读者练习的认真程度了。

　　本书为中级编，练习曲的速度和难度都要比初级编复杂。希望大家能从中学到更难的技巧，增加一些拿手的曲目。另外，希望大家学会在弹奏中去思考和领悟。

　　如果能够耐心地反复练习，不管是谁，都不会有攻克不下的曲目的。

◆小林克己◆

Contents 目录

弹奏吉他前 1.六线谱和技巧符号

和其他乐器相比，摇滚吉他的表现力之所以更为丰富，是因为它的奏法中包含着各种各样更多的技巧，并且音色也是千变万化。根据弦、手指、技巧和拨片的奏法的不同运用，即使是弹奏同一个音，也会有不同的音色、亮度和韵味。

在本书中，通过使用六线谱来标明应该弹哪根弦的哪一个品。六线谱下方标明的是左手指法，t是拇指、i是食指、m是中指、r是无名指、l是小

指。另外，五线谱下方标明的是拨片弹奏方向，d是下拨，u是上拨。五线谱和六线谱都同时标注有技巧符号。基本的技巧已经全部在初级编里解说过了，忘记了的话最好复习一下。在此只解说一下记谱符号。请看本页的谱例和图片，六线谱用TAB符号表示，六根线从上往下分别表示吉他的①至⑥弦。线上的数字，就表示应该按吉他上的第几品。在谱例中，最初是弹⑥弦3品，接着弹到⑥弦5

六线谱的读谱方法

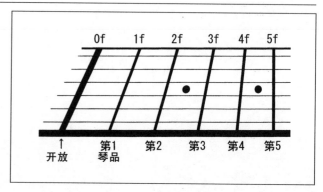

品。如果是②弦0品或③弦0品之类的，称之为空弦音，不需要用左手去按，所以在六线谱下方没有注明左手指法。另外，只要在谱面上出现有滑音线（slur，连结不同音高的音符和数字）和延音线（tie，形状和滑音线一样，但连接的是音高相同的音符），拨片就只弹奏连线的第一个音符，然后让声音一直延续到下一个音符的时值。

弹奏中，通过参照吉他的泛音点（指板上带有白点的品），可以帮你更快地找到想弹的那一个品位。泛音点一般位于第3品、5品、7品、9品、12品、17品、19品和21品。这个泛音点位置和指板上打有白点的品位是完全一致的。第12品通常有两个白点。首先，吉他手应该充分了解吉他的泛音点置于哪个位置，演奏时要做到不用一个个数品格就能迅速地找准泛音点。

还有，如果在弹奏中老是看着指板和品位的话，姿势就会变得很难看，弹奏也不会出色。专业的吉他手一般首先具有攻克泛音点的心理准备。

技巧符号的说明

● 拨弦和指法
下拨用 d 来表示，上拨用 u 来表示。左手手指分别用 t、i、m、r、l 表示。

● 一音推弦
使音升高一个全音的推弦，如图，在③弦7品推弦，就使D音上升到E音。

● 半音推弦
使音升高一个半音，用H.C表示。

● 无头音推弦
不弹出推弦前的音，只弹出推弦后的音，另有半音、一音半、二音的变化。

● 滑音推弦
稳定地推弦，使音均匀地、渐渐升高。

● 推弦释放
使推弦后的音回到原来的位置，如果带有 Port.D 符号，就要均匀地释放。

● 捶弦
不用拨片弹，只用左手指用力叩击琴弦发出声音。

● 勾弦
不用拨片，只用按弦的手指勾响琴弦。

● 震音
就是勾弦和捶弦的反复交替使用。注意要快和连贯。

● 滑弦
按弦的手指不离开琴弦，就这样滑到同弦的其他品，声音不得中断。

● 无定向滑弦
是滑弦的一种，这种滑弦的起始音和终止音都是任意的。它的目的并非是为了连结两个音，而是为了得到滑弦的经过音。

● 和弦切音
就是有节奏地扫弦时，左手手指轻轻触弦，使其发出哑音。但这要和弹主音时的切音区别开来。

● 闷音
右手掌缘贴住琴桥旁边的琴弦，以此来弹奏出一种闷音的效果。

● 制音
这时不需要考虑音高，只须把左手手指轻贴在琴弦上，以此姿势来弹奏。在独奏中用 M 来表示。

● 跳音
使音符时值变短，但又要弹得响亮饱满。

● 拨片泛音
拨片弹弦之后，马上用右手拇指外侧触弦，然后迅速离开琴弦就可以得到泛音了。

● 点弦泛音
左手按弦后，用右手叩击按弦位置的泛音点（括号内的品位），以此得到泛音。

● 拨片刮弦
用拨片的边缘在④、⑤、⑥弦上快速摩擦，以得到一种类似噪音的效果。

● 手指颤音
用左手指揉动琴弦，使音产生颤动。

● 摇把颤音
通过摇把来制造颤音。

● 摇把下压
先把摇把下压，弹响后让摇把回复原位。

弹奏吉他前 2.效果器

效果器，顾名思义，就是对乐音进行效果处理的仪器。除了电吉他之外，很多其他的乐器，甚至声乐，都使用了效果器。现在大家能听到的音乐，几乎都经过了效果器的加工。而那些不经过效果器加工过的音乐，反而给人一种美中不足的感觉。所以可以说，在音乐的构成中，效果器有着举足轻重的作用。

在此，就那些在电吉他演奏中有代表性的效果器，逐一作个解说。希望读者能把这个内容作为有效的使用指导，除了学会调制出优美的吉他声音之外，还能够触类旁通，使其成为研究其他乐器的使用方法和乐音效果时的初步理论知识。

作为一个吉他手，光能把吉他弹好还不算出色。在演奏中，还应该能迅速地调制出可以充分表达乐曲内涵和个人风格的音色。如果音色和音量的参数设定不当，那么好不容易演奏出来的乐曲就会失去风格上的协调，从而变得毫无意义。

①失真效果器（Distortion）

众多的效果器之中，在摇滚乐里最为人知并且使用最多的，应该就是失真效果器了。在有些时候，吉他手能通过大型音箱来制造出一种功率大而又富有感染力的失真音色，这时候就不需要用到失真效果器了。但当你想得到一种与清晰、不失真的原音差别较大的声音，而音箱的音量却又被限制在某种程度的情况下，这时，使用失真效果器来制造失真音色，就是最明智的选择。

失真效果器的构造原理，就是人为地将输入的声音信号变歪曲。意思是说，把本应在音箱里失真的声音，在进入音箱前就用效果器把它变成电子化的声音了（如图：失真效果器）。效果器一般是按照内部的结构来进行分类，但也可以这样认为，各个效果器的失真度的不同，就构成了各个效果器的不同个性。

效果器的调节旋钮通常有三个，分别是用来调节效果器的失真程度、音色的变化和效果的音量。

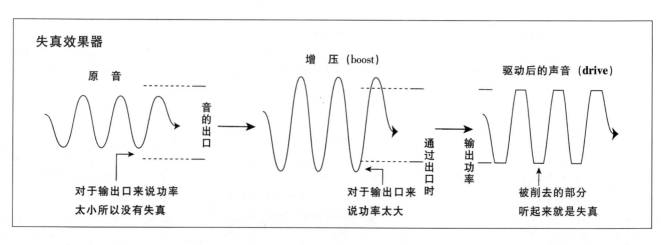

失真效果器

原　音　　　　　　　增　压（boost）　　　　驱动后的声音（drive）

音的出口　　　　　通过出口时　　输出功率

对于输出口来说功率太小所以没有失真　　对于输出口来说功率太大　　被削去的部分听起来就是失真

如果用吉他上的音量旋钮来调节音量，也会使失真效果器的失真程度产生不同变化。吉他音量旋钮如果调到 10 的话，失真度是最大的。随着旋钮慢慢调小，失真度也会慢慢变小。而当旋钮调到 1~2 刻度，音量降低的同时，失真也基本上没有了，声音接近原音。通过使用这种方法，就可以得到一种自由调节音箱失真效果的感觉。对于那些想使用 Marshall 之类音箱来弹奏重摇滚音乐的人来说，建议通过调节失真效果的音量，来调节总的吉他音量。

②超载效果器（Over drive）

基本上也算是属于失真类的效果器，但它的魅力就在于能制造轻微的失真效果（如图：超载效果器）。因为它与失真效果器在失真度上有着截然不同的差别，所以这两种效果器还是很容易区分开来的。由于生产厂家的不同，虽说结构上大同小异，但是音色却有着明显差别。失真效果器的音色倾向于重摇滚之类的狂野失真，而超载效果器则倾向于细腻而华丽的失真。超载效果器的目的是重现使用电子管音箱时得到的自然失真的音色。

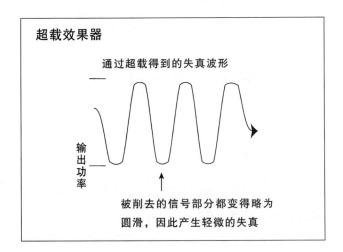

超载效果器

通过超载得到的失真波形

输出功率

被削去的信号部分都变得略为圆滑，因此产生轻微的失真

③移相效果器（Phaser）

因为是通过移动相位（phaser）来得到效果，所以也称之为 shifer 效果器。

通过将原音与相对原音来说已经产生了相位变化的另一种声音混合起来，就得到了一种深度感和回旋感。此效果器的目的就是通过电子手段在扬声器里产生一种回旋的效果。

④弗兰格效果器（Flanger）

弗兰格效果器与合唱效果器一样，都是制造出

一种比原音略为延迟的声音，然后使这个声音的音调产生上下波动，由此制造出一种复音感。

它与合唱效果器最大的不同在于，它的延迟时间非常短，但是音调波动又特别大，所以产生了一种频率周期很长的独特音效。

以前在录音的时候，都要略微调节一下录音设备的弗兰格效果键，用来制造出一种和原音混合的回旋的声音，弗兰格效果器因此而得名。

⑤均衡效果器（Equalizer）

顾名思义，就是用来均衡频率的效果器。与装在音箱面板上的音色旋钮（treble、middle、bass）具有同样的作用，而且可以调出更为细腻的音质。因为，根据演奏场所温度和湿度的不同，吉他音色也会有所变化。这时，就需要用均衡效果器来调节音质，使吉他发出正常的声音。甚至还可以使莱斯鲍尔型的吉他模仿出斯特拉特型吉他的音色，反过来模仿也行。在录音棚里，它可以说是一个必不可少的设备。

(a) 图形均衡器

通过放大、缩减信号中不同分布的频率带，可以调出更细腻的音质。频率的分布方法根据厂家和机种的不同，也存在着很大的差别，通常范围从 7 段（band）到 40 段。因为通过目视，就能很容易得知放大、缩减的情况，所以被命名为图形均衡器。

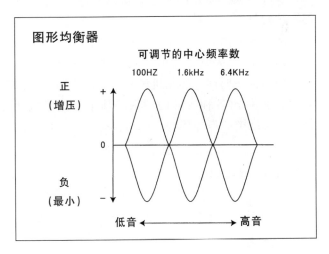

图形均衡器

可调节的中心频率数

100HZ　　1.6kHz　　6.4KHz

正（增压）

0

负（最小）

低音 ←　　　→ 高音

(b) 参数均衡器

在图形均衡器中，其可调的频率范围是预先设定的。而在参数均衡器中，中心频率范围/FREQ（Hz）则是可变的。而且，由于它的中心频率幅度和波段幅度也是可变的，所以可以调出更加细腻的效果。

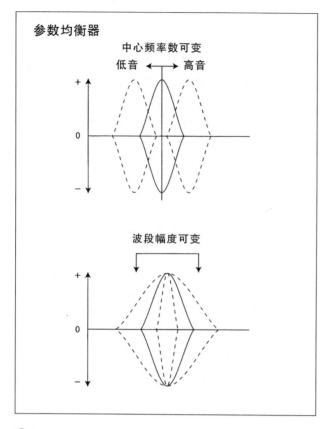

参数均衡器

中心频率数可变

低音 ← → 高音

波段幅度可变

⑥数码混响效果器（Digital reverb）

　　是用来制造混响的效果器。虽说它和音箱上的混响器是同一样东西，但它并非是像模拟混响器（agalogue reverb）那样产生物理的振动，而是通过程序控制，把输入的声音信号迅速转换成数字信息。这样一来，使处理过后输出的声音产生了一种混响的效果。

　　从原音发出，到发出最初残响的这段时间，叫做前级延迟。从原音发出，到残响消失的这段时间，叫做混响时间。根据机种和厂家的不同，效果器可以设置出各种各样的参数，甚至可以模拟大厅、房间之类的声场环境。

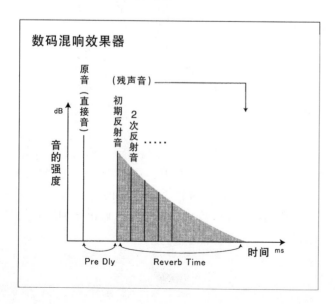

数码混响效果器

⑦激励效果器（Exciter）

　　根据不同的构造，激励效果器也可以分为很多类。最基本的效果是，使声音变得更清晰延长，轮廓更加分明。换句话说，就是使逐渐减弱的声音变得突出。与均衡效果器那种高音效果不同，激励效果器的特点是将原音和倍音混合起来，使声音变得更加自然。

⑧移调效果器（Pitch shifter）

　　是一种转换音调的效果器。作用是把各种音程混合在一起，制造出丰富的和声效果。如果再加上音调略微变化的声音，就得到了一种饱满自然的合唱（chours）效果。另外，还有能够设定调性的移调效果器（称之为智能移调效果器）。一般音程设定值在 3~5 度之间。

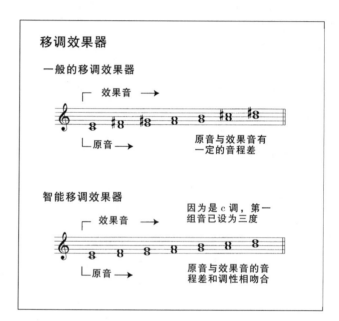

移调效果器

一般的移调效果器

效果音 →

原音 →

原音与效果音有一定的音程差

智能移调效果器

效果音 →

因为是 c 调，第一组音已设为三度

原音 →

原音与效果音的音程差和调性相吻合

⑨噪音门效果器（Noise gate）

　　这种效果器的作用，就是把某个电平以下的声音信号全部过滤掉。声音被弹响以后，就会逐渐变弱，当弱到某个程度，效果器就会工作，把不必要的声音过滤掉。

　　通常在噪音成分中，往往包含有一些低音量的杂音，根据设计思路，把这些低音量的杂音过滤掉，噪音也就会减少了。

　　至于该把哪个程度以下的声音过滤掉，则是由 threshold 功能来决定的。而决定过滤声音方法的，则是 release time 功能。

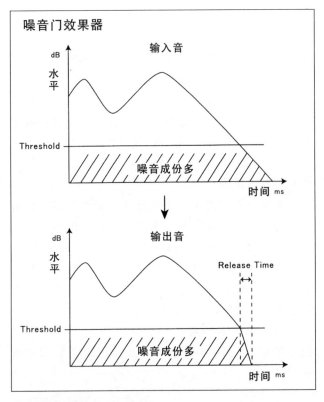

⑩限幅效果器（**Limiter**）

这种效果器的作用是限制音量过大的弹奏。也就是说，消除音量的多余部分，防止由于输入功率过大而引起的音色失真。并且在不改变音色的情况下，就可以得到纯正音色的持续效果。

这种效果器通常被使用在本音弹奏或和弦扫弦中，可以防止那些由于拨片弹奏不稳定而带来的杂音，并且可以使音效更加整齐集中。

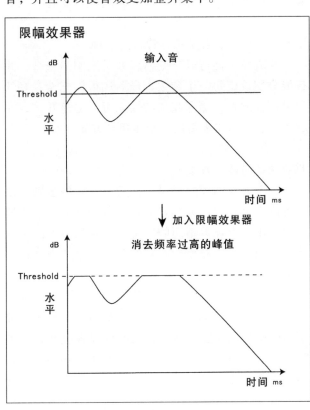

⑪合唱效果器（**Chorus**）

合唱效果器，就是稍微延长原音，并且使这个音的音调上下波动，然后将其与原音混合，就产生了一种复音感和宽阔的音域感。这是颤音效果器系列中最常用的一个。不管是哪一类的音色，比如本音和失真，都能够和这种效果器组合使用，的确是非常方便。另外，如果你能灵活运用立体声设备的话，就能制造出空间感更强的音效。

⑫延迟效果器（**Delay**）

顾名思义，是用来延迟原音的时间，使声音变得更有空间感的效果器。

延迟的时间用毫秒（msec）来表示。毫秒是千分之一秒，100 毫秒就是 0.1 秒，500 毫秒就是 0.5 秒，1000 毫秒就是 1 秒。除了这个调节时间的旋钮，还有调节延迟次数的 feed back 旋钮和调节效果音量的 level 旋钮共三个旋钮。另外，hold 功能还可以使效果音反复持续。

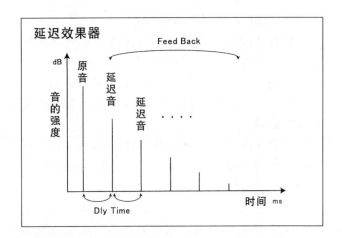

⑬压缩效果器（**Compression**）

这种效果器的作用是制造出接近原音而毫无失真的音色。

压缩效果器的功能，就是对超过某种限度的高音进行抑制，同时，对过小的声音又能进行补偿，使整个音效相当均匀。另外，虽说声音没有失真，但因为起奏音已经产生了变化，所以产生了一种与原音略有不同的，带有"压缩"效果的声音。

压缩效果器主要有四个调节参数，分别是 Threshold（压缩范围）、Attack time（压缩时间）、Release time（恢复时间）和压缩率。Attack time，就是在原音里加入 Threshold 之后，到开始产生效果音的时间。Release time 的意思是，当吉他原音在这个范围之外时，从效果音恢复为原来本音的时间。压缩率旋钮是设定效果压缩率的参数。

效 果 器

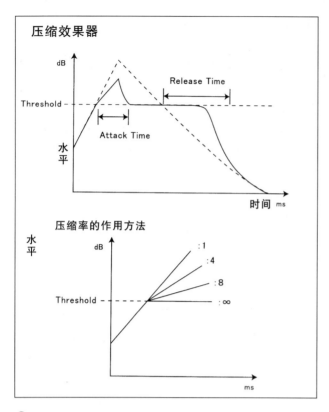

压缩效果器

压缩率的作用方法

⑭踏板哇音效果器（Wah-wah）

这种效果器的原理，就是保持特定频率的峰值，然后用踏板来移动这个频率。效果器的音色旋钮就是踏板，音色特征是，某个已经被强调的特定音域，听起来比原音更加高昂，而其他音域听起来就较为低弱。

一般来说，将踏板往前踩下时，音色变得尖锐坚硬，而将踏板往后踩时，音色就变得饱满圆滑。在通常演奏中，既有边踩踏板边弹奏的奏法，也有通过微妙地踩动踏板来选择音色的奏法。不管是弹主音还是弹伴奏，这种效果器的应用范围都相当广。

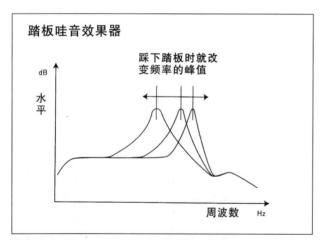

踏板哇音效果器

踩下踏板时就改变频率的峰值

⑮自动哇音效果器（Auto-Wah wah）

它和踏板哇音效果器的效果一样，只不过这个效果器不用踩动踏板来制造哇音而已。启动后，在起奏的地方用力弹奏，自然就得到哇音效果了。如果用踏板哇音的话，在弹奏一个接一个的快速哇音时，会导致踩踏板的速度跟不上，而用自动哇音的话就方便多了。

另外，也有预先设定好一定的哇音周期，然后上下踩动踏板的演奏方法。哇音效果器是周边效果器（modulation）系列里，最独特和常用的一种。

⑯八度音效果器

使吉他发出低1~2个八度声音的效果器。而有些机种，也可以使吉他发出高一个八度的声音。这样，用一把吉他就可以弹出八度齐奏的厚重效果。

八度音效果器只可以使用在弹奏短音上，输出的效果音和原音也会略有不同。因此，这种效果器经常和法兹（Fuzz）效果器组合使用。

如果你的吉他输入不稳定，发出的声音也不稳定的话，建议你把此效果器和压缩效果器组合使用。

⑰合成效果器（Multiple Effects）

这种效果器的原理不会破坏单块效果器的个性，而是把它们集中到一台仪器里，因此被称为合成效果器。

至今为止所有说明过的，如弗兰格、移调、延迟、合唱等效果，都可以组合在这台仪器里面。由于内置有吉他手常用的失真音色，并且又带有踏板，因此它不但是一种价廉、多功能和高音质的效果器，而且和单块效果器一样使用方便。合成效果器共有落地式、台架式和背带式三种。

合成效果器可以改变内置效果之间的组合，并且能分别设定每一个参数，最后还可以把设置好的效果储存起来。储存起来的效果可以通过开关，在瞬间把它们调出来使用，操作相当方便。

⑱效果器的调校方法

关于如何调校效果器，并没有一定的法则。很大程度上是根据个人喜好而定。各种各样的效果器之间，由于存在着不同的连接顺序和调节方法，因此也能做出很多有微妙差别的声音，这些声音也因此带上了不同的个性。

但是，由于吉他的电子信号本来就微弱，再经过反复回路，就会更加劣化了。而且，像模拟—数字—模拟如此反复的转换，也会明显地破坏吉他本来的音质，所以，切记不要过度使用不必要的效果器，否则会弄巧成拙的。

第一章　右手的弹奏

在现代音乐中，除了原汁原味的纯摇滚乐之外，虽为 8beat 的风格但包含了 16beat 精华部分的音乐也很常见。

节奏就是流行。不同的节奏能反映各个时代人们的生活。摇滚乐在诞生时，就是一种纯 8beat 的音乐，后来受到了乡村音乐、爵士乐和灵魂音乐的影响，就发展衍生出各种样式。到了今天，变成了包含有 16beat 特点的复合 8beat 音乐。而其他节奏，也发展成为布鲁斯类型的三连音和变拍子（如 5/4 拍等）。

在此，应该切实掌握 16beat 和强拍音符的弹奏，另外，还要认真领悟节奏的重要性。

①首先，用切音扫弦来练习 16beat 和重音的弹奏

16beat 就是，一拍（四分音符）里面有四个十六分音符。在一拍内重音的类型也大致如下，如谱例 1，反复练习所有的重音类型。

另外，在一些小节中（4/4 拍），有些类型的重音却是分散在四拍之中。如谱例 2~5 就是如此，都是使用了三音列组合。所谓三音列组合，就是将十六分音符（8beat 时是八分音符），以三个音为一组来弹奏。看谱例 2~5 下方的数字就会明白，之所以要把它们分为 332 和 3334，就是为了将这十六个音符尽可能地以 3 为单位划分。但不管这种三音列组合的弹奏方法应用在哪一个小节中，都很容易失去小节感，因此一定要通过身体的律动来保持每小节四拍的节奏感。为此，在弹吉他时，就要用背带挂住吉他站好，随着节奏"1、2、3、4"的律动，腰也要一下一下地略微下沉。这个动作叫做打拍子，做不到这步的人，只能说是没有节奏感了。

随着不断练习，应该能做到下沉四次腰之后就知道是一个小节，甚至知道下沉多少次腰后是四个小节。成为职业音乐家以后，当然没有必要再这样神经质地去数拍子了。接着更进一步，把各种类型的重音，自由地放在每一个小节的任意一拍上面，试着练习。

②接着，练习 Reggae（雷吉）风格的节奏类型

谱例 6 就是这种节奏的练习，在这里一定要用切音扫弦来练习。

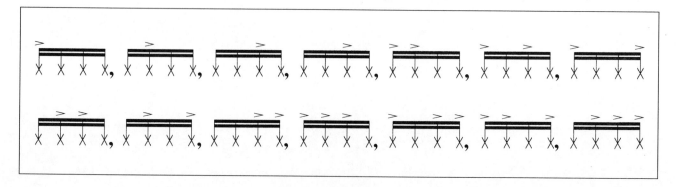

通常情况下，都是按着和弦来弹奏。比如说在老鹰乐队的《加州旅馆》（1976 年版）中，右声道的伴奏吉他，就是使用了谱例 6 的节奏类型。在每拍开头的八分音符上，可以使用拨片空拨，也可以休止不弹。但接下来的两个十六分音符，则要用力地弹出来。要熟练地使用拨片下拨来弹奏，而且，即使在右手不动的时候，仍然要保持连贯的律动感，防止漏掉拍子。

③加上和弦，练习两种 Reggae 节奏类型

练习曲是轻快的 Reggae 风格。参看谱例 7，前面四个小节都是反复弹奏咚哒哒、咚哒的节奏型，这就和谱例 6 的 Reggae 类型有所不同。前面的四个小节反复弹奏两次后，接下来的两个小节也要反复两次，这里虽然是弹奏和弦，但节奏型和谱例 6 是一样的。接着，弹完最后的两个小节加两拍之后，在 D.C.符号处又回到了曲首。这里使用的是第 10 把位的 Gm 和弦，用食指横按第 10 品，并且要用横按的食指前端轻触第⑥弦来制音；Cm7 和弦，则用食指在第 8 品横按，但用的只是食指的内侧中部，同时还要用食指前端和拇指来分别为⑤弦、⑥弦制音；而 E♭maj7 和弦，则分别用小指的前端和拇指分别为⑤弦、⑥弦制音；Dm7 和弦的按法，就是将刚才 Cm7 和弦的按法整体上移两个品位就得到了，用食指前端和拇指分别为⑤弦、⑥弦制音。在所有拍子开头八分音符的地方，虽说全部可以采用休止，但最好还是用切音扫弦弹出两个十六分音符。

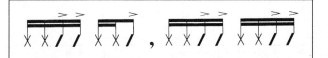

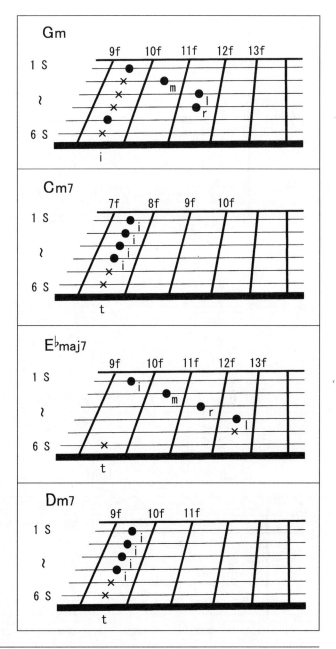

 CD Tr.001

谱例-1

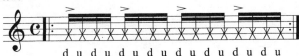

谱例-2

谱例-3

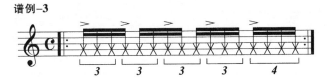

谱例-4

谱例-5

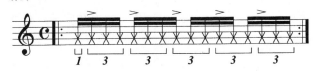

谱例-6

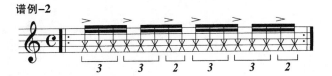

CD **Tr.002**

谱例-7

如上述那样，每逢弹奏和弦时，在遇到有休止的地方，就要用切音扫弦来代替休止。实际上，也只有在弹奏和弦时，谱面上才标明重音符号。换句话说，经常用 16beat 来训练右手的甩动，就是培养正确节奏感的诀窍。练习和弦弹奏和切音扫弦的快速互换，是弹奏 16beat 音乐的重要部分。此外，再使右手的甩动变得更稳定的话，就有可能在使用压缩效果器时，使切音扫弦的音量和弹和弦的音量变得一致。

④**练习一个小节的扫弦类型**

可以这么认为，谱例8就是在谱例4的重音上再加上和弦弹奏。只是这里是以一个八分音符结尾，而不是像前面一样以两个十六分音符结尾。在谱例8中，要掌握用两种方法来演奏：一个是在八分音符后加入十六分音符的切音扫弦，另一个是使用拨片空拨。

⑤**掌握 16beat 的拨片空拨技巧**

这是在重摇滚中典型的 8beat 和 16beat 的弹奏。与只用拨片下拨来弹奏不同，这里虽说是重摇滚，但仍然要求是轻快地弹奏。

谱例9包含有切音扫弦，因为是全部扫完六根弦，所以右手甩动幅度要大，这是为了训练右手稳定性的练习。由于是扫弦切音，所以左手要浮按在琴弦上，同时要巧妙地配合右手扫弦，并且是上下交替扫弦。

谱例10中，虽说在谱面上并没有说明需要制音，但仍然是和谱例9一样，要尽可能地用左手为不必要的弦制音。右手仍然要保持上下甩动，灵活地使用拨片空拨，使演奏具有切分效果。

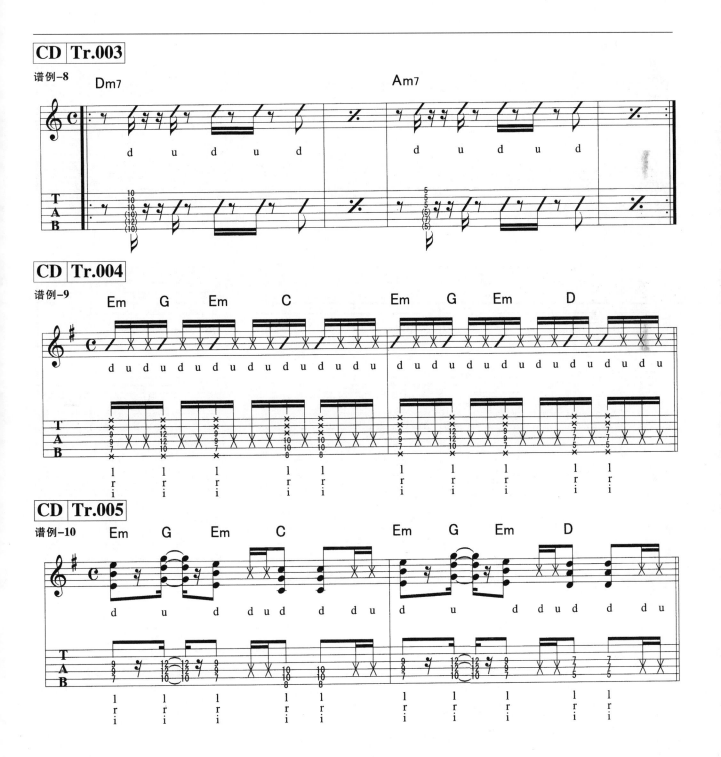

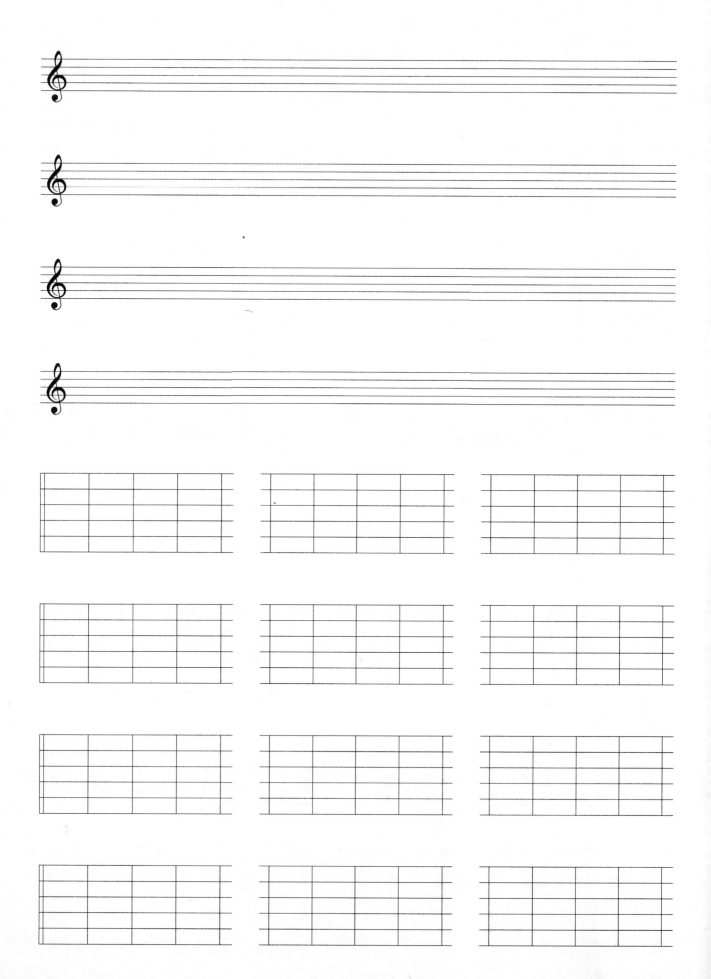

第二章　推弦

在初级编里，我们已经学习过了一音推弦（C）和半音推弦（H.C）。在本章中，学习 1/4 音推弦（Q.C）和一音半推弦（1H.C）。

①首先是 1/4 音推弦 Q.C

这个推弦的性质，与一音推弦和半音推弦不同，并不写作 Port.Q.C 和 Q.U.。不是说完全没有关系，只是说没有必要而已。总的来说，谱例 14 的情况已经可以用谱例 11 来表示了。在 Q.C 的场合，即使再加上装饰音，但如此小的音高变化，

高 1/4 音。

正如爵士乐术语中的 "blue.note.choking" 那样，这个推弦音程也不要求非常准确，它本身的目的只是为了营造一种悲伤的氛围。因此，即使没有准确地推上 1/4 音程，只要把它推到半音中点附近就可以了。根据不同演奏者推出的 1/4 音程（有接近半音的，也有接近原音的），就形成了不同的推弦的风格。再加上旋律与和声的烘托，韵味就出来了。想要彻底掌握 Q.C，还是要多多模仿布鲁斯风

CD Tr.006

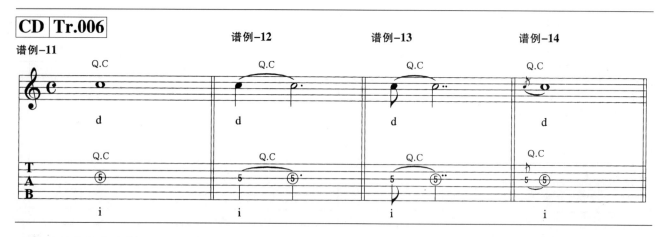

谱例-11　　　谱例-12　　　谱例-13　　　谱例-14

对于原品位的音来说也是无关紧要的。同样，它的速度变化也和谱例 12、13 的不太一样。这个推弦，一般是吉他手的习惯行为，而不须刻意推出来的。但是，作为音程变化最小的推弦，它仍然有使用价值。这时，一般认为它与原音在节奏上的关系基本上可以忽略了，应该优先考虑的是把声音推

格的演奏。在以前，对于吉他手来说，B.B.king 和 Eric Clapton（克来普顿）的音乐是最好的教材。

弹奏 Q.C 时，除去个别例外情况，几乎都是用食指来演奏。这不但在很大程度上左右着在哪个把位该用哪个手指，甚至几乎是已规定好了该使用 Q.C 的场合。

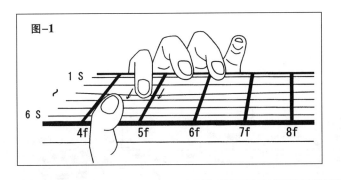

图-1

如谱例 11，在③弦 5 品用食指轻微推弦。这时，推弦要像图 1 那样轻微用力，如果用力过大就变成 H.C 了。因此，轻松自然地用力是最好的。手腕的旋转也很重要，此时如果食指能够沿着与琴品平行的方向推弦的话，就能更容易地 Q.C 了。

CD Tr.007

谱例-15 谱例-16 谱例-17

CD Tr.008

谱例-18 谱例-19

②练习用中指和无名指的 Q.C。虽说这在实际应用中非常少见，但也可能会作为极重要的指法来使用

在谱例 15 中，因为食指另有用途，所以就用中指代替来推弦。谱例 16 中，Q.C 是紧跟着上一个推弦，用无名指。谱例 17 和谱例 16 一样。谱例 18 是在③弦 5 品，用无名指推弦。谱例 19 和谱例 15 一样，用中指代替食指来推弦。将谱例与各调相对应（谱例 15：G；谱例 16：C；谱例 17：C；谱例 18：Gm；谱例 19：Dm），你会发现：用 Q.C 推弦的音都是从各调主音升高一音半的音（降三级音），和比主音低一度的音（降七级音）。惟独谱例 18 中，在③弦 5 品的 Q.C，却是推出一个距离根音二音半的音。作为理解布鲁斯音乐的第一步，应该尽快掌握这个类型的推弦。

③通过 Practice 1 练习 Q.C

这个练习是 12/8 拍的布鲁斯，A 调。要使用到 Q.C 的是♮C、♮G 这两个音，这时，最好是通过指法类型来记忆。

在第一小节中的②弦 5 品→①弦 5 品、第七小节中的③弦 7 品→④弦 7 品等地方，都是将食指和无名指关节塌下来横按，弹出这些音时，声音一定要保持清晰，当用无名指横按弹③弦 7 品和④弦 7 品时，一弹到④弦 7 品，无名指马上要浮按在③弦 7 品上以制音。要想如此，就得把无名指的前端作为支点，这样才方便关节的塌下或立起。而用食指横按时也是同样要领。另外要注意，Q.C 只在①弦 8 品、②弦 8 品、③弦 5 品和④弦 5 品的地方使用。Q.C 还可以和其他技巧组合使用，但是可不要认为它会变成 P&Q.C，那是在原音本身上 Q.C。

示范曲：**Tr.009**
伴奏曲：**Tr.010**

Practice 1 1/4 音推弦

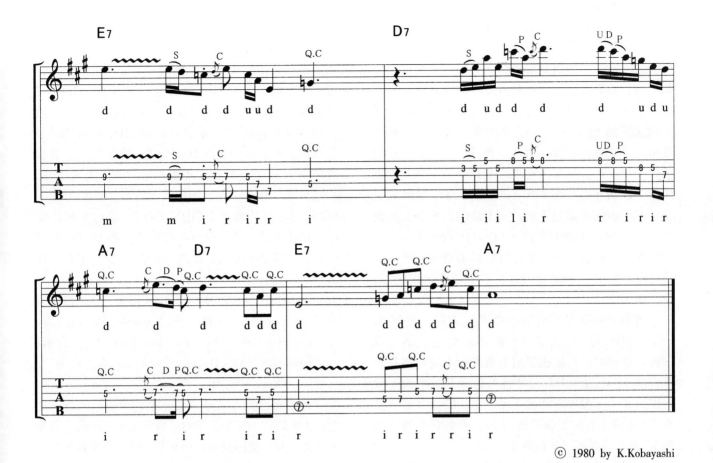

④练习一音半推弦（1H.C）

这里的推弦方法、练习方法、要领和注意事项等，全部和一音推弦同样。惟一的不同点就是把原音推高一音半，如把 D 音推到 F 音。这个推弦很要花力气，如果吉他的①弦粗过.010 的话，就会推得比较困难。比较好的练习方法是，事先用 MD 或录音机录下标准的 F 音，以此为参照，在③弦 7 品上推出一个正确的 F 音。用耳朵和身体去感觉正确的音程变化，再尝试加上速度的变化。为了和其他推弦记号区别开来，通常把一音半推弦写作 1H.C，也就是说推出的音和原音相差三个品位。另外在谱面上，一般把音慢慢升高的 1H.C 写作 Port.1H.C，各种特殊写法都和一音、半音推弦时的情况一样。如果推弦的原音（原品位的音）并不需要弹出的话，就写作 1H.U。

谱例 20~23 是不同的推弦速度练习，谱例 24 是 Port.1H.C 练习，谱例 25 是 1H.U 练习，请认真掌握。推弦时，应该根据用力情况的不同，将每隔半音的 1H.C、C、H.C 三种推弦区分开，准确无误地推出来。不但要在③弦 7 品，①、②、③弦 3 品至 20 品的所有位置都要练习，在④至⑥弦的 5 品至 12 品，也要练习下拉推弦。

当需要用无名指和中指推④至⑥弦时，最好换成用无名指和小指。不管怎么说，此时力量是很重要的，手腕也要充分转动。例如，在③弦 7 品弹奏 1H.C 时，必然也会或多或少地推着④、⑤弦。这时，不但要注意用力，而且要注意避免杂音。

⑤这种一音半推弦与 Q.C 一样，只使用在某种特定场合。练习 Practice 2

这是 Bm 调的 16beat 曲子。在第 6 小节中，C、1H.C 和 D 的意思是：先进行一音推弦，保持着，然后迅速再推高半个音，推出一音半推弦后，再进行推弦释放。在有 1H.C 的场合，往往是和 H.C、C 结合起来弹奏的。重要的是，一定要将 H.C 和 C 的音高准确地推到位，使它们能和 1H.C 明确地区分开来。另外，在 Bm 调中，B、E、升 F 这三个音都可能用到 1H.C。有很多类型能够在 B（调的主音，一度）、E（在从主音开始的第 5 品上，四度）、升 F（在从主音开始的第 7 品上，五度）这三个音中使用。照此类推，如果是 Am 调的话就是 A、D、E 三个音；如果是 Gm 调的话就是 G、C、D 三个音，详情参照下表：

key=Dm→D、G、A   key=C#m→C#、F#、G#
key=Cm→C、F、G   key=Fm→F、Bb、C
key=Bbm→Bb、Eb、Fb   key=Ebm→Eb、Ab、Bb
key=Abm→Ab、Db、Eb   key=Em→E、A、B
key=F#m→F#、B#、C#

1H.C 经常应用在小调旋律上，但应该明白，这与在大调旋律中频繁使用 Q.C 的情况是不同的，根据调性的不同，使用到 Q.C 的音也不同，请参照下表：

key=C→Bb、Eb   key=F→Eb、A
key=Bb→Ab、Db   key=A→G、C
key=Eb→Db、Gb   key=E→D、G
key=Ab→Gb、B   key=B→A、D
key=G→F、B   key=F#→E、A
key=D→C、F   key=C#→B、E

CD Tr.011

谱例-20　谱例-21　谱例-22　谱例-23

CD Tr.012

谱例-24　谱例-25

示范曲：Tr.013
伴奏曲：Tr.014

Practice 2 一音半推弦

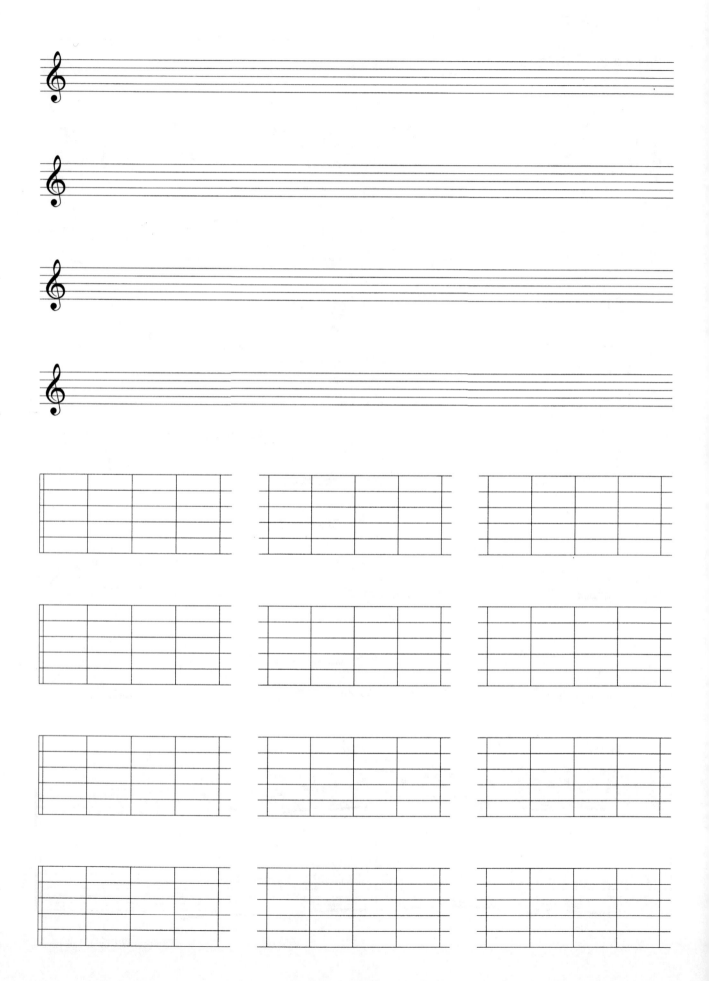

第三章　和音推弦

在推弦的同时，弹响另外一个音，使这两个音构成一个和音，这就叫做和音推弦。

①这本来是木吉他的奏法，可以说，这种推弦是带有乡村吉他风格的电吉他技巧

首先看谱例 26，就知道这种技巧并不需要使用特别的符号记谱。练习时，用至今为止掌握的有关推弦的方法来弹奏就可以了。不同的地方只是，在推弦之外，再增加用一个手指多按一个音而已。另外，在这种时候，有装饰音的地方，不要弹奏两个音（不弹装饰音符），只是在推弦的原来的音上进行即可。这只是为了方便读谱，以明白要同时弹响哪两个音（原音及另一个和音）。在谱例 26 中，用无名指按住③弦 7 品推弦，而小指按在②弦 8 品处。在这种时候，小指是最有用的，因此，注意不要用中指来推弦，而用无名指来按另一个音。另外，不管无名指怎么推弦，小指千万不能也像推弦那样跟着动起来。在无名指推弦时，小指一定要牢

固地按着②弦 8 品，绝对不能动。

如图 2，虽说是手腕以 5 品的位置为支点旋转，带动食指、中指和无名指来推弦，但本应转幅最大的小指却全然不动，这是因为小指在进行与其他手指不同的"单独运动"，反复练习小指的这种"单独运动"，久而久之，小指就会发挥非常灵活的作用。在谱例 26~29 中，加入了不同速度的变化来练习和音推弦。

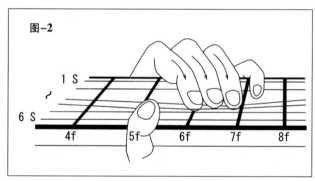

CD Tr.015

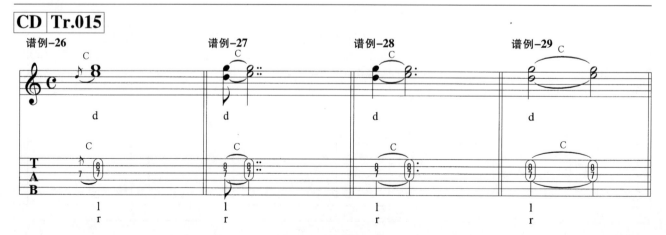

谱例-26　谱例-27　谱例-28　谱例-29

（注：因为推弦当中会引起琴弦拉力的变化，所以②弦 8 品的音多少被降低了一点。如果正确地推出标准 E 音的话，就会有和另一个音不和谐的危险。因此，最好能略微控制一下推弦。因为整体音调都降低了，所以曲子产生了一种寂寥的感觉。参阅初级编推弦的课程。）

②在①中练习的和音推弦是在②弦和③弦上，现在练习一下在其他弦上的推弦

如例 30，在②弦 8 品推弦时，用小指按住一弦 8 品。像图 3 那样，无名指和小指并放在同一个品位上，支点位于 5、6 品的地方。通过手腕的旋转来带动食指、中指和无名指，而小指稳定地按在一弦 8 品上，保持"单独运动"。一音推弦的场合，弹到旁边的②弦时，有①的方法和②的方法；③弦的推弦和②弦的和音结合时用①的方法；②弦的推

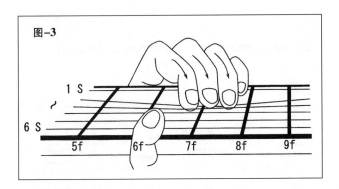

图-3

弦和①弦的和音结合时用②的方法。另外，像谱例 31 那样，使用到半音推弦的情况也是有的，这时要用中指在②弦 4 品推弦，用食指按住①弦 3 品。如图 4，这时，因为食指与支点位于同一位置，所以无

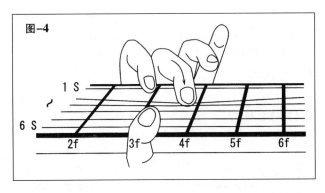

图-4

法动弹，就形成了中指<无名指<小指的手腕旋转。

另外，如谱例 32~35，根据推弦音以及另一个和音组合的变化，就有着很多位置类型。谱例 32 与谱例 30 位置类型一样，只不过换成在②弦和③弦进行 H.C；谱例 33 是把谱例 26 中按在②弦 8 品上的小指，移到了①弦 8 品上，这时还要用小指的前端为②弦制音；谱例 34 的位置类型和谱例 30 一样，换成在②弦 5 品和①弦 5 品，进行 H.C；谱例 35 的位置类型和谱例 26 一样，换成在④弦 3 品和②弦 5 品进行 H.C。谱例 30~35，也要像谱例 26 一样，加上速度的变化来练习。

CD Tr.016

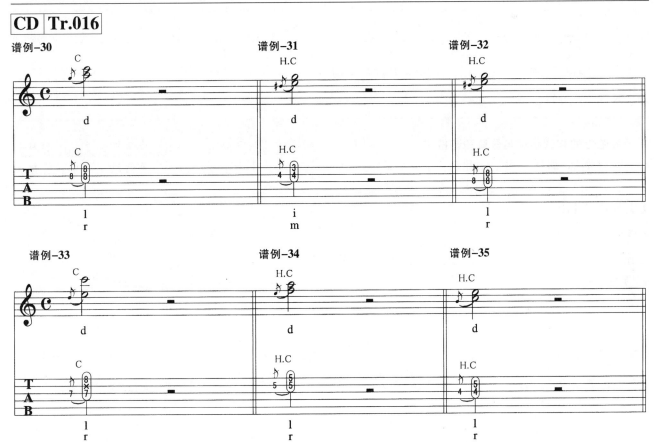

谱例-30　谱例-31　谱例-32

谱例-33　谱例-34　谱例-35

③分解和音推弦

分解和音推弦的指法，和弹奏和音推弦时是一样的。只是由于分解和音推弦是分别弹奏两根弦，所以形成了不同的节奏类型。不同的是，虽说这时左手的推弦方法和按弦方法，也全部和和音推弦时一样，但需要使用拨片下拨来快速分别演奏两根弦。这些技巧在初级编里已经都出现过，在此只需重新思考练习一遍。

谱例 36 是分解谱例 26 的和音推弦，每一拍都形成不同的节奏类型。谱例 37 是分解谱例 30 的和音推弦，每两拍的节奏类型不同，而且谱例 37 不仅仅是推弦，还使用了推弦释放，形成了 U 和 D 结合使用的分解方法。就这样，根据节奏和推弦释放的多样性，就可以分解谱例 26、谱例 30~35 了。另外，也可以自己试着思考一些新类型。

CD | Tr.017

谱例-36

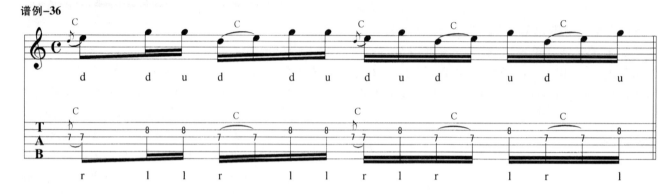

谱例-37

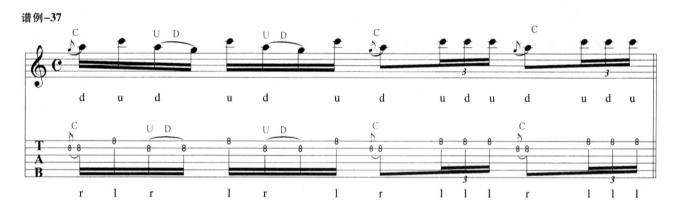

④三根弦上的和音推弦与分解和音推弦

像谱例 38 那样，用三个和音来表示。用无名

指按住③弦 7 品推弦，用小指横按住②弦 8 品和一弦 8 品。小指不要用力，也不要动。如果这样横按

CD | Tr.018

谱例-38   谱例-39

住①、②弦有困难的话，就按照图5来进行好了。比起图2，这里稍微要让手指塌下些，也就是说，重心往拇指一侧移动，并且要全部张开食指、中指、无名指和小指，让小指的指腹能够按住①弦，之后的方法就和谱例26完全一样。谱例39就是这样的分解例子，比起谱例26~37，它更具有乡村吉他的韵味，也是 Jeff Beck 等人经常演奏的曲子。除了谱例38之外，其他种类的三个音的和音推弦很少被使用到。从③弦2品的推弦音加上①、②弦3品的横按音开始，到③弦16品的推弦音加上①、②弦17品的横按音，练习各个品位的和音推弦。

⑤通过实践乐曲，练习和声推弦

谱例40是吉米的曲子，用无名指在③弦14品推弦的同时，用小指按住①弦15品。难点在于，

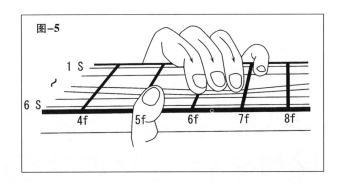

图-5

既保持着无名指按住③弦14品的手型，而小指又要从①弦15品移到①弦13品中指的位置。谱例41也是吉米的曲子，在这个曲子中，也是保持着小指按①弦的手型，用无名指在②弦上进行推弦和推弦释放。

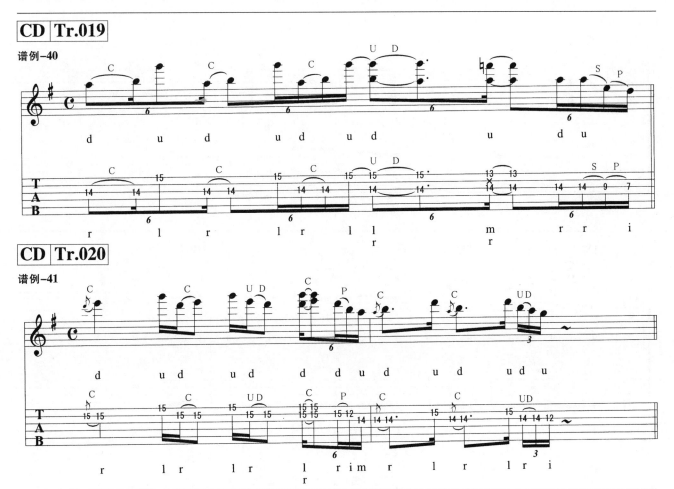

CD Tr.019

谱例-40

CD Tr.020

谱例-41

⑥练习 Practice 3

这是一首 G 调、3/4 拍的乡村华尔兹风格的曲子。摇滚吉他受到乡村吉他音乐的影响是非常大的，推弦的产生也得益于乡村吉他。通过乐曲的强弱变化，能把要表现的感情和每个声音音色的重要性，都融合进去。所以要反复弹奏，努力探索出自己理解并表达的乐曲方法。在缓慢的节奏中，也要弹出内涵丰富的乐曲。其中，还要练习微妙地控制

和音推弦。

用无名指在③弦2品推弦，同时又用小指按住②弦3品的话是很费力的。在这种情况下，可以用中指来在③弦2品上推弦（第1小节）。第10小节是分解三个音的和音推弦。在弹奏第19小节第2拍的③弦14品推弦加上①弦15品音时，要用食指的根部和小指的前端来为②弦制音，然后快速弹奏。

示范曲：**Tr.021**
伴奏曲：**Tr.022**

Practice 3 和音推弦

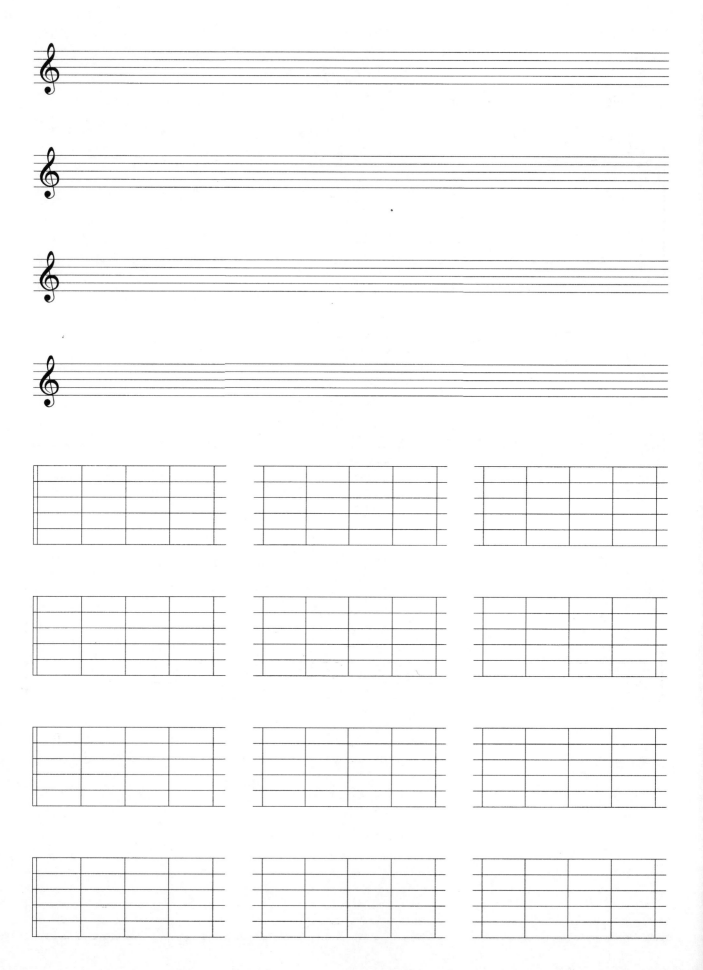

第四章　双音推弦

双音推弦是和音推弦的一种，在摇滚吉他中，它常常被作为一种炫技形式来使用。使用双音推弦这种技巧，自然而然地会使乐曲流露出一种摇滚的味道。因此，在本章中就将它与和音推弦区分开来，单独作为一个技巧来练习。

①因为双音推弦是把两个音融合成同一个音，所以这个音就会被强调出来，也更具有感染力

如谱例42那样，在五线谱上的同一个音，却是靠两个音弹出来的。用无名指在③弦7品进行一音推弦，同时食指按住②弦5品。图6就是这种手型。与和音推弦一样，食指是绝对不能动的。比起小指不动用无名指去推弦的方法来说，还是将食指放在支点的位置这样比较简单。以食指的指尖作为支点，使中指和无名指得以回转推弦。这时，虽说小指露出在指板上面也不要紧，但为了让小指能够灵活运动，并且让中指和无名指能轻松地进行"单独运动"，最好还是把小指隐藏在琴颈侧面。

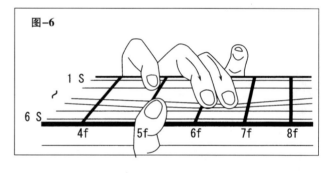

图-6

另外要注意，食指不能用力过度，不然就会变成轻微的推弦。而且，与和音推弦时的情况一样，为了使推出的音一致，无名指的推弦音要比标准的一音推弦音略微降低一点。这种方法仅用在双音推弦，因为这两个推出的音略微错位的话，会产生一种雄浑的声音，也更有感染力。但是，无名指最好仍是保持着正确的一音推弦时的推弦感觉。接着，也要像谱例43~46那样，变换着推弦速度来练习。在此，为了与和音推弦区分开来，就用"W.C"符

CD Tr.023

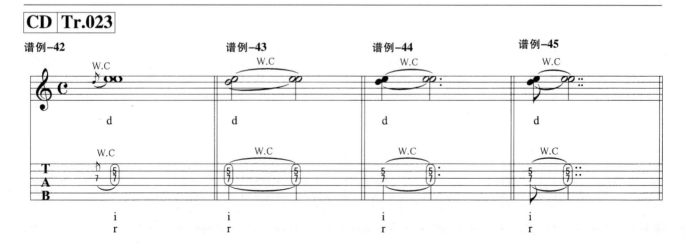

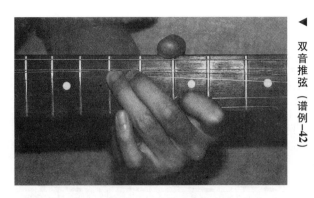

◀ 双音推弦（谱例-42）

这样一来，弹出的声音就构成了一个和音，和音中包含着两个 E 音和一个 A 音。比起图 6 来说，这里食指多少有点往拇指靠拢，这样就能自然地塌下关节，同时横按住①、②弦了。总的来说就要横按，在这里是横按加推弦的类型。如果在弹奏 A 和弦或 Am 和弦时，使用这种类型的话，就会产生一种雄浑而有安定感的声音。但是要注意，如果不能快速弹响的话，三和音的感觉就出不来。用这个三和音的推弦练习，加上速度的变化，然后在每一个把位上练习。

号来表示双音推弦。而缓慢推弦的双音推弦，则记作"port.W.C"。如果是没有起始音和推弦经过音的双音推弦，则记作"W.U"。

谱例 42~45 的练习是同时使用到②、③弦，试着用食指从空弦音到 17 品、无名指从第 2 品到 19 品，在每一品上练习这种推弦。并且，食指和无名指一定相隔两品位。

②三和音推弦

如谱例 46，无名指在③弦 7 品进行一音推弦，同时弹响用食指横按住的①弦 5 品和②弦 5 品音。

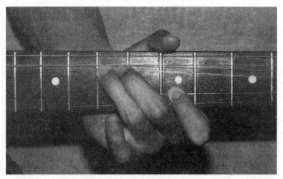

◀ 双音推弦（谱例-46）

CD Tr.024

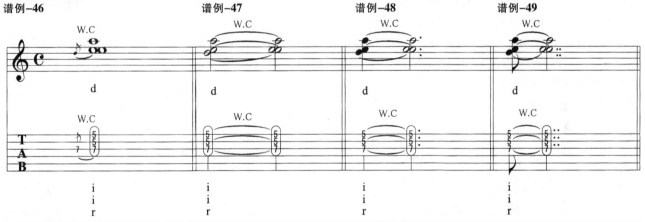

谱例-46　　　　谱例-47　　　　谱例-48　　　　谱例-49

③分解双音推弦

这个技巧与和音推弦的分解是一样的。到现在，虽说大家都能够弹奏这类技巧了，但还是有必要重新练习一下。谱例 50 是最基本的分解练习，在②弦 8 品加入小指的勾弦后，即形成一个乐句了。这时，要练习一下前面说过的隐藏小指的技巧，就是说，用到小指时才把它露出指板上，不用的话就马上隐藏回指板侧面。

谱例 51 是分解三和音推弦，注意，拨片弹奏方向是 d、d、u。如果不这样运用拨片的话，就很难快速而准确地弹出漂亮的声音。①、②弦的 5 品用食指来横按。谱例 52 就是将谱例 51 略加变化后的旋律，先弹响用小指按住的②弦 8 品音，之后再弹响的①、②弦的 5 品音就构成了和音。由于采用拨片下拨，所

以保持着食指横按的话，就可以弹到①、②弦的 5 品。

例如，像谱例 53 那样，一品品下移的双音推弦的练习曲，一使用分解的话，就变成谱例 54 那样了。只是由于两者使用方法的不同，才变成了韵味截然不同的练习曲。

④使用小指的三和音推弦

像谱例 55 那样，将小指按在①弦 7 品上后，就得到了 E、E、B 这三个和音。这种奏法如果运用在 E 和弦或者 Em 和弦中，就能得到稳定而有力的声音。再如谱例 56 那样，将小指按在①弦 8 品上后，就得到了 E、E、C 这三个和音。如果运用在 C 和弦或 Am 和弦中，就得到了特别雄厚的声音。在谱例 55、56 的情况中，训练小指能够自由地进行"单独运动"是很有必要的。

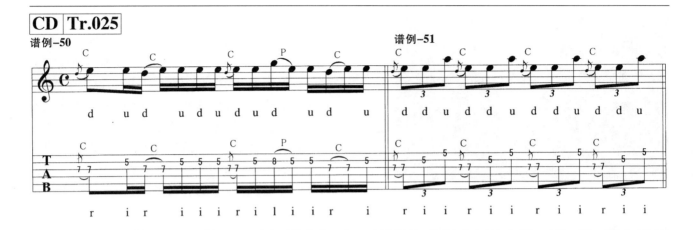

CD Tr.025

谱例-50　　谱例-51

⑤练习①、②弦上的双音推弦，再练习分解

谱例 57 中，无名指在②弦 8 品进行一音推弦，同时弹响食指按住的①弦 5 品音。这与谱例 42 的情况不同，由于谱例 57 中的手指相距三个品位，所以更难按弦了。因此，有必要像图 7 那样练习，让食指和中指之间得到充分的扩展。但也要注意，食指指尖不要加上过多的、无用的力气。即使这里是食指按住①弦 1 品、无名指在②弦 4 品上推弦，手指扩展的最低要求也一定要达到这样充分张开的程度。如果手比较小的话，通过练习左手的姿势也能够得到解决。但要注意，千万不能忘记正确的弹琴姿势（参照初级编）。接下来和谱例 42 一样，食

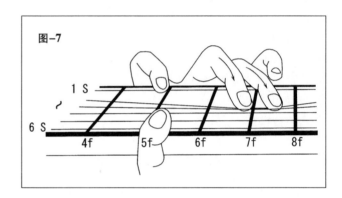

图-7

指不能动，让中指和无名指回转，最好能把小指隐藏在指板侧。

除了特殊情况，双音推弦就只有谱例 42 和谱

CD Tr.026

谱例-52　　谱例-53　　谱例-54

CD Tr.027

谱例-55　　谱例-56　　谱例-57

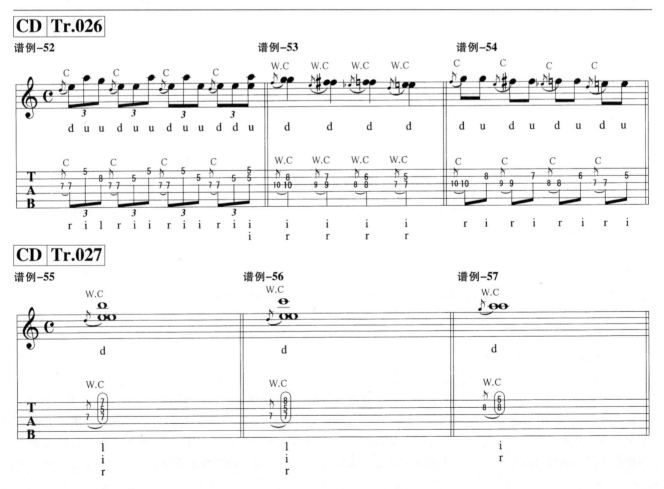

CD **Tr.028**

谱例-58

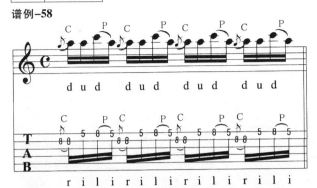

谱例-59

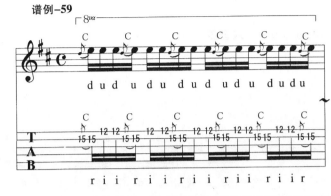

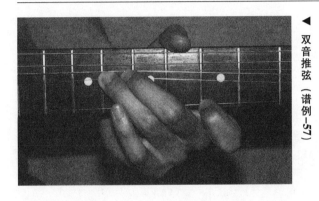

▲ 双音推弦（谱例-57）

时如果手指有力的话，也可以弹出像 Tom 和 Van Halen 那样的一音半推弦。谱例 58 是分解谱例 57 的练习曲，用按在①弦 8 品的小指，勾出食指按着的①弦 5 品音。同样，谱例 59 也是分解谱例 57，只不过节奏和把位有所不同。虽说实际已变成了三音列的曲子，但仍然要保持一小节四拍的感觉，同时也一定不要失去小节感。最好能够反复练习 3~4 个小节。（注：一定要严格遵循拨片演奏方向，通过和后面谱例 60 的对比，就能掌握练习曲变奏的韵味。）

⑥练习谱例 60

⑦通过 **Practice 4**，练习双音推弦

例 57 两种类型。不管是在①、②弦，还是在②、③弦上弹奏的双音推弦，全部都是一音推弦。但有

CD **Tr.029**

谱例-60

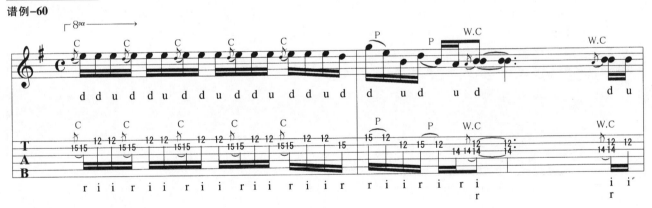

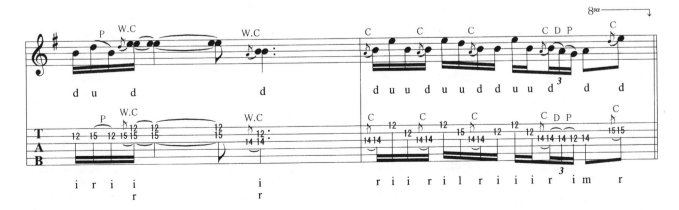

第 四 章

示范曲：**Tr.030**
伴奏曲：**Tr.031**

Practice 4 双音推弦

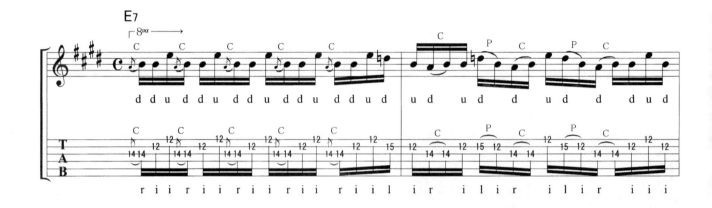

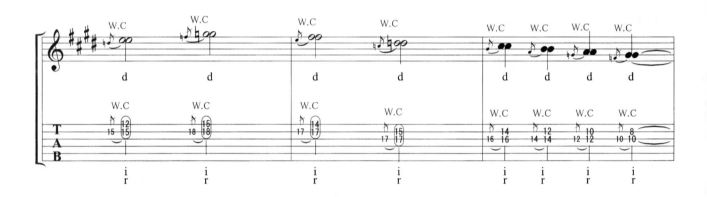

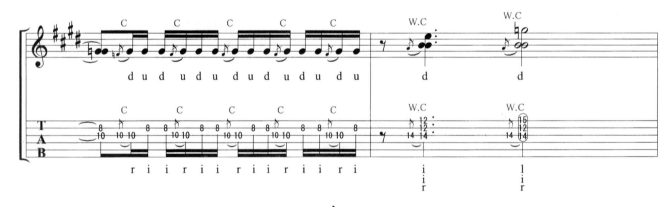

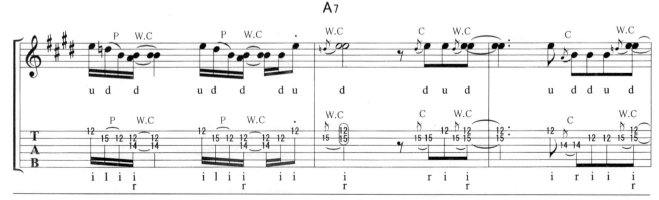

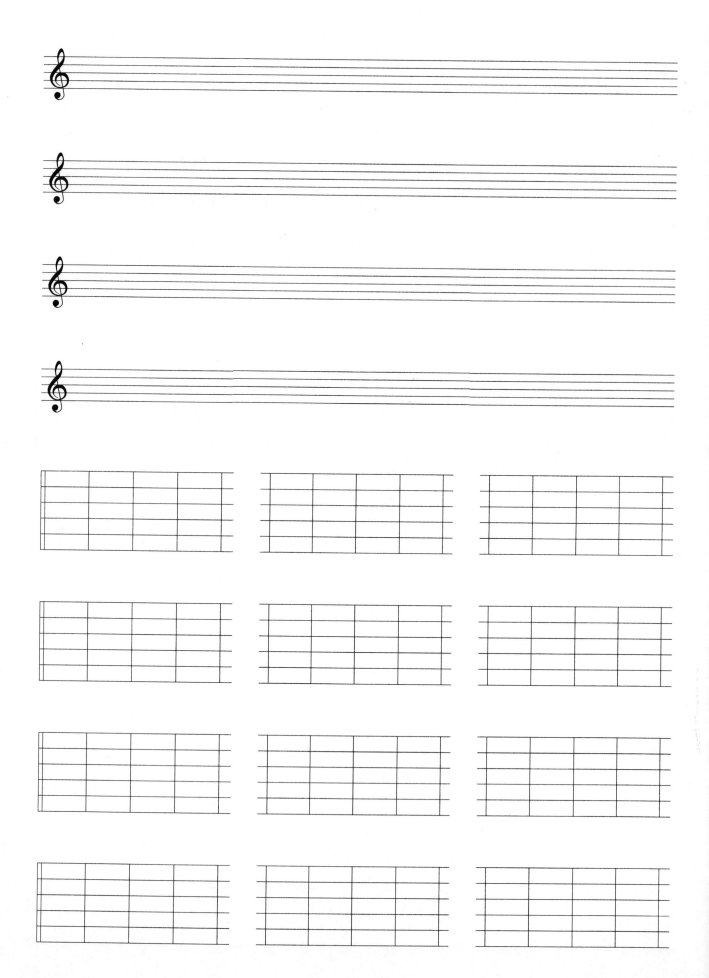

第五章　推弦释放

在本章中，除了学习阶段性进行的推弦释放方法以及缓慢而轻微的推弦释放方法之外，还要讲解一下怎样消除在推弦释放时容易产生的杂音。

①首先，从一音半推弦开始，练习半音半音地释放推弦

谱例 61 就是它的最终形式：弹响一音半推弦（1H.U）后，再将其下降到一音推弦（U），就等于是用推弦释放降了半个音。接着，又将一音推弦下降半个音，变成半音推弦（H.U），最后，再在半音推弦的基础上作半个音的推弦释放，使变回到原音。也就是说，这个练习分为三步，每步作半个音的推弦释放。在谱例 61，拨片只弹一下，要流畅连贯地释放推弦。谱例 62 中，不要加入推弦释放的经过音，拨片要弹奏四次。总的来说，如果把谱例 62 的动作连贯起来，并且拨片只弹一下的话，就变成了谱例 61。如果考虑到它们的内在联系，就很有必要认真练习谱例 63 的类型。谱例 63 的曲子是练习自由灵活地分别弹奏出三个推弦音和一个原音共

四个音。从谱例 63 向谱例 62 反推，如果谱例 61 也能做到反推的话就更好了。最后，像 1H.U→H.U&D（谱例 64）、1H.U→U&D（谱例 65）、U→H.U&D（谱例 66）那样，一个一个例子来循序渐进地练习推弦释放是很有必要的。

②在各种练习曲中，运用以上这种分步进行的推弦释放，使形成一种微妙的韵味

谱例 67 本来只是在③弦 5 品上 C 和 D，但现在这个单调的练习中间加入了 H.U，使其产生了一种忧郁的味道。谱例 68，在 Am 和弦上弹奏的 1H.C 和 D 之间加入了 H.U 的 F 音，使 Am 和弦听起来带有 Dm 和弦的韵味。如果在③弦 9 品上弹奏 U 的话，Am 和弦听起来就带有 D7 和弦的韵味，这是因为产生了一个升 F 音。谱例 69 的曲子如果在 Dm 和弦、G7 和弦、E7 和弦中使用的话，就会营造出一种忧郁的氛围。谱例 70 是为了使摇滚风格的练习曲增加一点爵士乐韵味，才使用了一个 F 音。谱例 71 是为了让乐曲产生一种终止感时才使用的。

CD | Tr.032

谱例-61　　　　　谱例-62　　　　　谱例-63

CD Tr.033

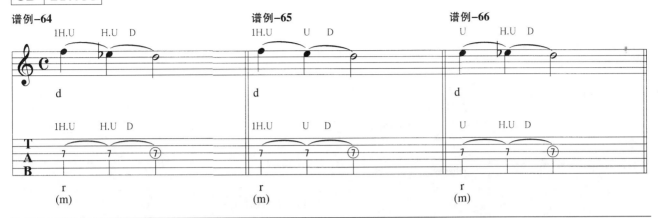

谱例–64　　　　谱例–65　　　　谱例–66

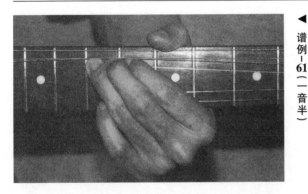
◀ 谱例–61（一音半）

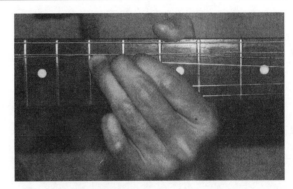
◀ 谱例–62（一音）

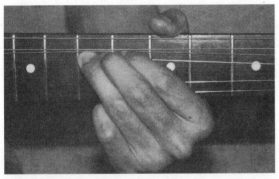
◀ 谱例–63（半音）

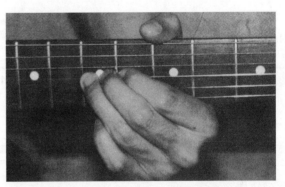
◀ 谱例–64（开始的音）

③徐徐而轻微下降的推弦释放

谱例 72 和谱例 73 是 R.Blackmore 式的练习曲，在节奏变化的同时，要灵活地弹奏 D。虽说在大体上，谱例 72 显得是半音半音地下降，但实际上，谱例 72 的音高应该是徐徐地下降。在第 2 小节中的 U→U，音高大约下降了 1/4 个音；而 H.U→H.U 也同样，大约下降了 1/4 个音。但是，由于其中的 Q.C 用法不同，所以这里不写作 H.U→Q.U。在谱例 73 的第四小节中，从③弦 7 品的 U 开始，进行非常轻微的渐进的推弦释放（gradation of D）。由于在谱面上，这一小节是八分音符为主的，就是说一个小节分成了八个音来弹奏，所以在五线谱面上无法表示出那种"徐徐释放"的感觉。为此，每逢碰到这种"徐徐释放"的推弦释放，就在谱面上用"gradation of D"来表示。在这个谱例里，后四个

小节共有了三十二个八分音符，虽说在谱面上都是同一个音，但由于推弦释放幅度的不同，所以几乎每个音都不同，因此一定要认真练习。

上述练习看起来很简单，但要把一个全音分成三十二份来弹奏，却不是一件容易的事情。一旦学会控制这种微妙的推弦力度后，就能演奏那种时而欢快时而忧伤的乐曲了。

（注：吉他的音调比具有标准音高的背景音乐略高的话，就会显得比较欢快；如果比背景音乐略低的话，就会比较忧伤。当然，这个音调的差距应该控制在 1/8 个音以下，因为只有这个幅度的音程差，才能表现出乐曲感情的变化。）

除了上述两个例子，还要练习一下从 1H.C 开始的 gradation，以及从 H.U 开始的 gradation。

④推弦释放的最后润饰是消除杂音。不管是多么出色的推弦释放，如果当中充满着杂音的话，听起来也是一塌糊涂。如果在其他技巧中，也能运用上这种消除杂音的方法，那么就能在弹奏优美旋律的时

候，充分地保持其优美性

　　例如，无名指在③弦 7 品上推弦，之后接着进行推弦释放，那么④、⑤弦多少也会被无名指带动着上移（参阅初级编推弦姿势）。推弦释放之后，

无名指的指尖一离开④、⑤弦，就很容易带响这两根弦的空弦音。因此，最好在此时，预先用食指的指尖轻触着④弦。在推弦前，无名指按着③弦7品的时候，如果能用食指的指尖轻触④弦来制音的话，不管之后如何推弦、如何将弦释放，④弦都不会产生杂音了。如果能养成像图8那样的按弦习惯，与④弦有关的杂音问题也就解决了。但是，这样的动作却不能用左手剩下的手指为五弦制音。这个时候，应该用右手掌沿来为⑤弦制音。右手制音时，如果与应弹弦不隔开一根弦的距离的话，就有可能连应弹的弦也被制音了。因此在这种时候，不能用右手来为④弦制音。

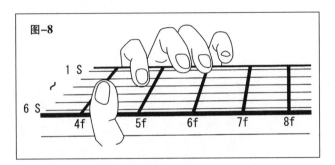

图-8

用中指在③弦7品弹奏推弦和推弦释放时，也是采用相同的办法，用食指指尖为④弦制音，用右手为⑤弦制音。食指和小指的推弦释放，虽说也可以采用这样的方法，但在推弦释放的时候，食指一定要做到按弦的同时要为弦制音，请多加练习。

⑤ "推弦释放+勾弦" 的时候，更容易产生杂音。另外，加上颤音时也一定要注意这点

谱例74就是，"推弦+推弦释放+勾弦" 的练习曲。无名指在②弦8品推弦时，如果姿势不正确，③、④弦被压在无名指指腹下面，那么弹奏勾

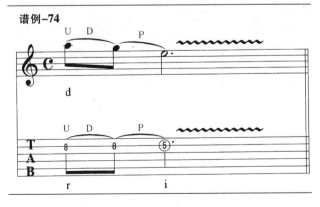

谱例-74

弦时，就容易产生比推弦释放更大的杂音，因此要注意（参阅初级编推弦姿势）。无名指勾弦的时候，中指必然也会离开④、③弦，这时，也要按照上述④中所说的方法，用食指的指尖轻触③弦来制音（如图9）。

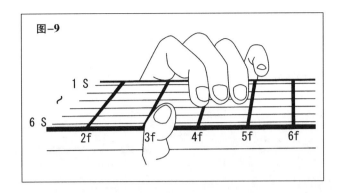

图-9

另外，从②弦8品勾出②弦5品音时，如果是用无名指和食指来进行，①弦也就很容易被触响。这时，应该用食指的指腹为①弦来制音。如果能够做到这样来制音的话，那么当食指在②弦5品弹奏颤音时，就能用食指来为两侧的①、③弦制音，而不必担心产生杂音了。

谱例74中，先是②弦8品的U→D，然后再勾出②弦5品音。在这种场合，进行了推弦释放之后，左手掌心马上贴在琴颈后，食指预先移动到②弦5品，一定要在不改变整体位置的前提下弹响勾弦。这时，如果左手掌心不贴在琴颈上的话，不但勾弦变得费力，而且也容易产生杂音。在各弦上练习 "推弦+释放+勾弦"，努力掌握它们。

⑥通过 Practice 5，练习逐渐下降的推弦释放、gradation 和消除杂音的方法

这是一首 Cm 调、6/4 拍的练习曲，中间有一个小节变成了 3/4 拍，所以要注意。另外，弹奏时还要时刻注意保持节奏的稳定。

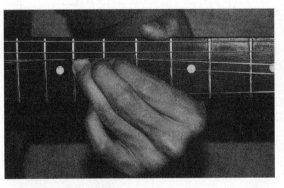

谱例-74（第 8 品的上升推弦）

谱例-74（第 8 品的推弦释放）

示范曲：**Tr.036**
伴奏曲：**Tr.037**

Practice 5　推弦释放

第　五　章

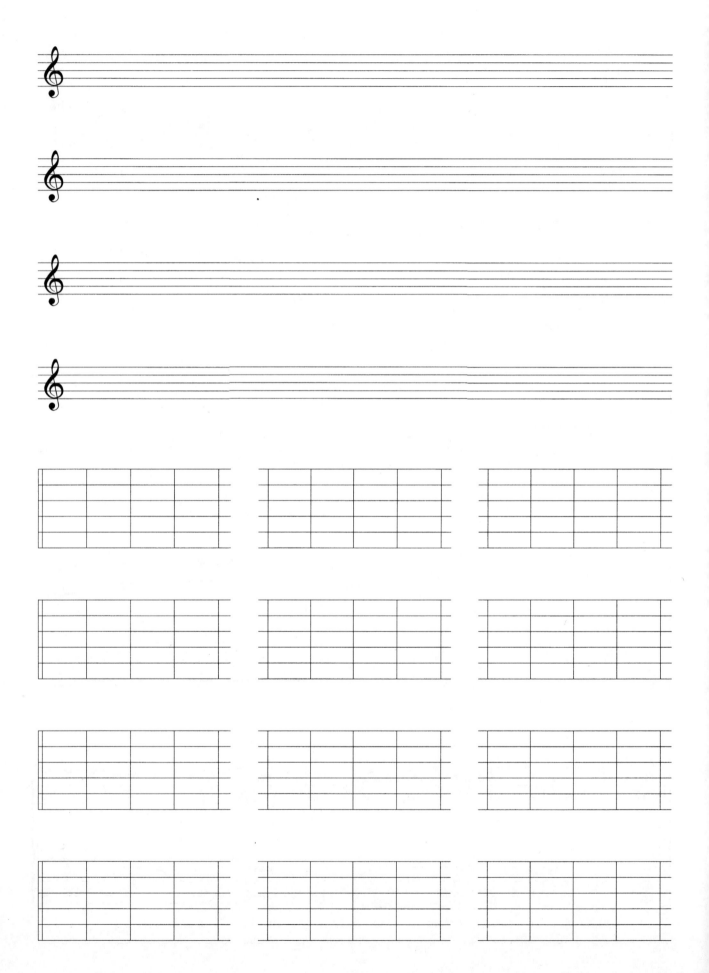

第六章　捶弦和勾弦

在初级编里，已经就捶弦和勾弦的内容，从基础开始逐个进行了讲解。并且在《技巧的综合应用》章节里，练习了它们的连续奏法。在本章中，学习两根弦一起弹奏的捶弦和勾弦，另外还要练习右手的捶弦（点弦）和勾弦，使它也成为一种技巧。

①运用在和音与和弦上的捶弦和勾弦

捶弦和勾弦不但运用在主音 Solo 中，还经常运用于扫弦和普通的伴奏上。对于滑弦技巧来说，按住一个和弦整体滑动时，即使按和弦的手指偏离了一些位置也不要紧，不是很严重的事情。但是，当用捶弦或勾弦来弹奏时，如果手指没有平时那么熟练的话，就变成了一种相当难的技巧。

首先，练习谱例 75。这是得比·布莱扎斯风格的节奏吉他的曲子。用食指横按①至⑤弦的第 10品，同时用食指指尖为⑥弦制音。接着食指保持着

姿势，中指和无名指同时分别在②弦 11 品和④弦12 品捶弦。这时要注意，六线谱下方并没有标明食指横按的符号，只标明了中指和无名指的符号。食指横按着的①、③、⑤弦，发出的声音如果不能保持延音的话，乐曲也就失去韵味了。捶弦后，最好能够检查一下，是否五根弦全都充分发音了，之后再接着练习。另外，在弹奏中加入的很多拨片空弹，也要切实掌握。

接着到谱例 76，在美式摇滚中也经常听得到这种曲子，是带有 Journey 风格的弹奏。它和谱例 75一样，先用食指横按，再用中指和无名指捶弦。但是，横按的仅限在①、②、③这三根高音弦，而被制音的低音弦则要保持清晰的声音，这是最重要的。这里，④弦可以用食指指尖来制音，但⑤、⑥弦还是处于无防备状态。为了弥补这一点，拇指可

CD Tr.038

谱例-75

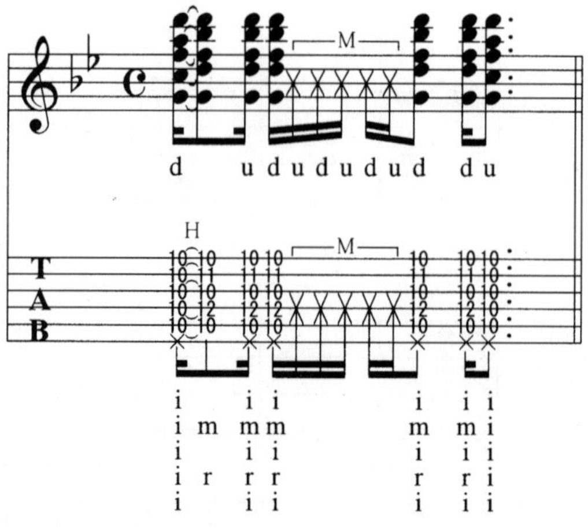

谱例-76

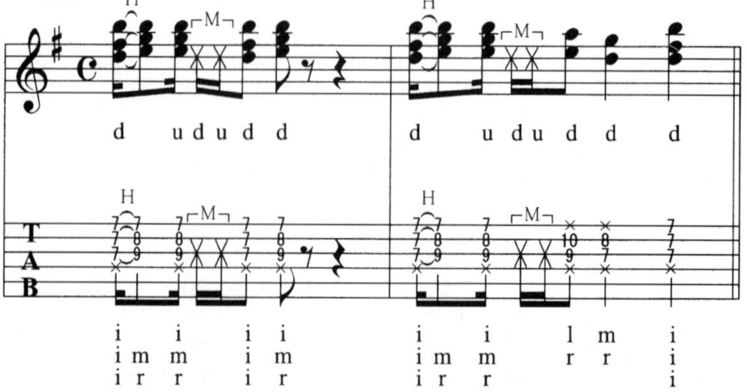

◄ 谱例-75 捶弦前的姿势

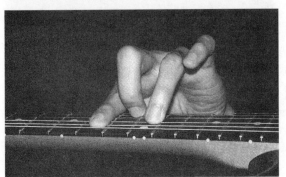

◄ 谱例-75 捶弦后的姿势

况一样，虽说左手的捶弦比较容易进行，但重点在于右手的弹奏及其时值，还有拨片触弦动作的幅度。

②练习一下在和音中的捶弦和勾弦的基本类型

Am 和弦的按法有三种，首先是在第 5 品。这时的 Am 和弦，是用食指横按住①至⑥弦的第 5 品，同时用无名指和小指分别按住⑤弦 7 品和④弦 7 品。在这种按法中，如果加入捶弦和勾弦，左手食指又保持不动的话，就形成了谱例 77 的练习曲。分步解说就是，①、②弦的第 8 品用小指横按，勾出食指横按的①、②弦第 5 品音；再用小指按住②弦 8 品，无名指按住③弦 7 品，同时勾出食指横按的第②、③弦的 5 品音；接着用小指按住③弦 7 品，无名指按住④弦 7 品（或者用无名指横按这两个音），同时勾出食指音；最后是小指按住④弦 7 品，无名指按住⑤弦 7 品，同时勾出食指音。接下来的是上述反过程的捶弦练习。另一个 Am 和弦是第 7 品的，用食指按住④弦 7 品，无名指按住③弦 9 品，小指按住②弦 10 品，中指按住①弦 8 品，就构成了这个 Am 和弦。这里虽然使用到谱例 78 的练习曲，但在第 2 拍中，用②弦 10 品的小指和③弦 9 品的无名指，同时勾出②弦 8 品音和③弦 7 品音，及其反过程的捶弦音，都是有难度的。而且，在用③弦 9 品的无名指和④弦 10 品的小指同时勾出食指音的时候，要注意小指和无名指相对平时习惯是

以从⑥弦侧伸出来，为⑤、⑥弦制音。但如此一来，后面的捶弦就变得难以进行了。因此，在这种情况下建议采取这种办法：左手只为第④弦制音，右手拨片的弹奏幅度也收小，使拨片的触弦点集中在第④弦以下的高音弦。而⑤、⑥弦作为开放弦，就不要弹响了。也就是说，谱例 75 和谱例 76 的情

CD Tr.039

谱例-77

谱例-78

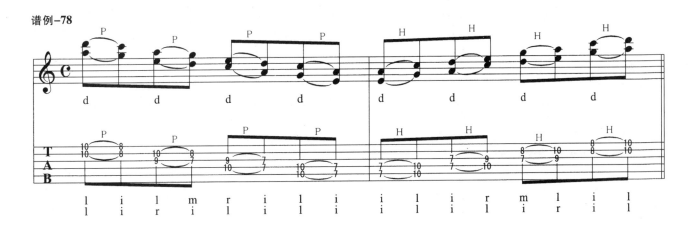

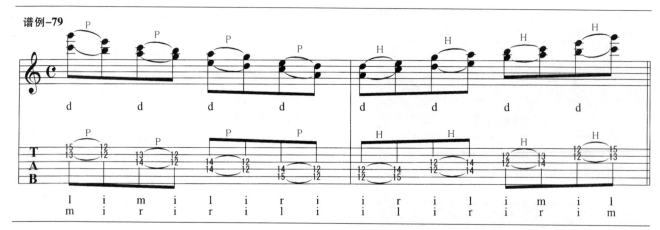

谱例-79

相反的。

第 12 品的 Am 和弦，是用食指横按①至⑥弦的 12 品，食指按住②弦 13 品，小指按住③弦 14 品，无名指按住④弦 14 品，就构成了这个和弦。这就是谱例 79，要加以练习。掌握了谱例 77~79 这些练习之后，复习一下谱例 75、76，应该可以从感觉上能把握和音与和弦的知识了。通过这些捶弦和勾弦练习，请尝试研究一下带有自己风格的弹奏方法。

③作为在和声中捶弦和勾弦的类型，请逐个分解、练习其对和弦的装饰作用以及在同一和弦中应用的不同位置

谱例 80，在基本的和弦进行中，由于在其中分别加入了捶弦和勾弦，所以就从单纯的和声织体变化为类似进行曲风格的旋律。这种捶弦加勾弦的弹奏方法，在 Rhythm&Blues（节奏布鲁斯）中经常可以听到。

谱例 81 是在小七和弦中加花的形式，在高音弦上加入捶弦和勾弦，带有一点震音的味道。

谱例 80 和谱例 81 的情况一样，为了方便横按，食指一定要伸直，同时中指和无名指也要尽可能与指板垂直来按弦。弹奏捶弦和勾弦的小指，一定要做到轻松自如。

谱例 82 是把七和弦音拆开形成的乐句，弹奏手法带有 Funk 风格。

谱例 83 和谱例 84 是灵活运用 G 和弦与 C 和弦中的相同音，在不同的把位用捶弦和勾弦来分解，从而构成更多位置中的和声类型。

CD Tr.040

谱例-80

CD Tr.041

谱例-81

CD Tr.042

谱例-82

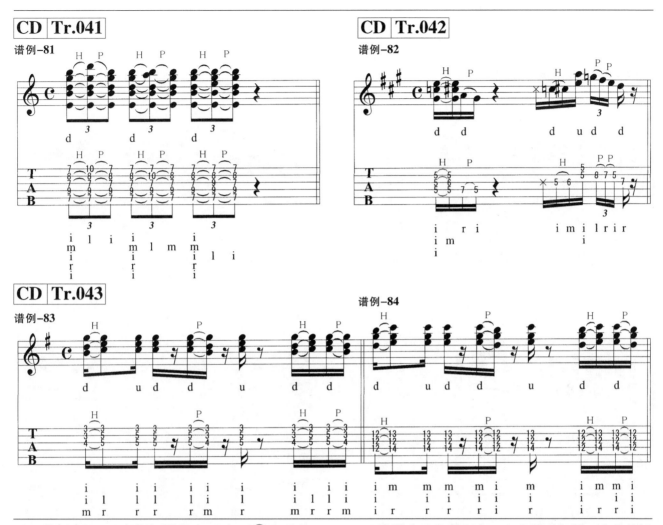

CD Tr.043

谱例-83

谱例-84

谱例83、84中的相同音有G音（①弦3品、③弦12品）、D音、E音（在②、④弦上捶弦和勾弦），这些音在两个谱例上的位置虽有不同，但音高是一样的。另外，由于B音和C音（在②、③弦勾弦和捶弦）牵涉到八度音的关系，所以一定要切实把握。

④手指扩品的捶弦和勾弦

虽说在日常弹奏中，也会遇到相隔三个品的捶弦和勾弦。但近来常用的，被称之为"扩品弹奏"的方法，却要求手指弹奏的间隔距离更大。各人手指在指板上的扩展幅度都有不同，但通过练习，多少会使你的手指扩展得更大。而且，作为一种左手的独立技巧，很有必要通过练习，使左手的捶弦和勾弦，都能在扩品的状态下，流畅地弹奏。

CD Tr.044

谱例-85

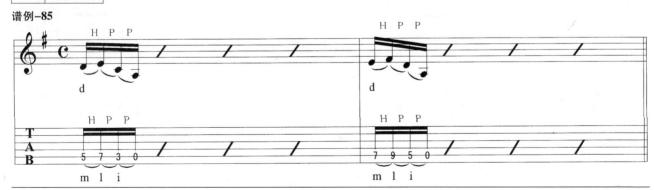

谱例85是范·海伦的曲子。因为使用到空弦音，所以要注意控制杂音。

⑤通过 Practice 6，练习和声中的捶弦和勾弦，再练习右手的捶弦和勾弦

这是F调的乐曲，节奏型是Shuffle。弹奏时一定要时刻保持三连音的感觉，拨片要轻微地弹奏。另外，过门的四个小节是吉他扫弦solo，所以弹奏时要跟着贝司进行（或者鼓点），节奏绝对不能乱。

第 六 章

Practice 6　捶弦和勾弦

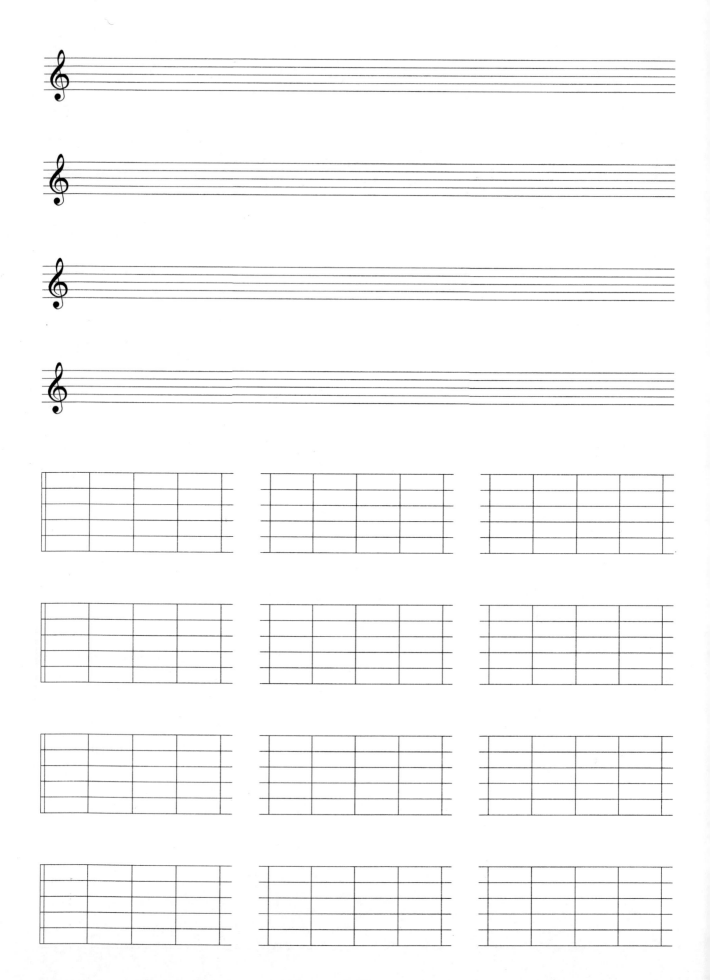

第七章　震音

在初级编中，已经学习过震音的基础了。在本章中，将会进一步思考、练习将震音作为乐句时的活用方法。

① 用震音来装饰旋律

比如说，像谱例 86 那样的旋律线，如果就这样照谱弹奏的话，未免过于单调，而且想要表达的韵味也出不来。这时，应该像谱例 87 那样加入震音。这里有两种方法供参考，一种是像谱例 87 那样，在旋律中加入震音上行；另一种方法就像谱例 88 那样，在旋律中加入震音下行。这里没有绝对严格的规则，如何去选择方法，关键是看各人感觉。同样，经过加入震音后，谱例 89 就变成了谱例 90、91；而谱例 92 就变成了谱例 93、94。但是，在如何选择震音的音程差（相隔几品来震音）上，却是有一致的方法。

首先，以谱例 86 为例。谱例 86 是 Cm 调的练习曲，和弦有 Fm7 和 G7。

谱例 87，首先是通过使用 Cm 调的音阶来进行震音（Cm 调即是 E♭ 调，7 个音分别对应是 E♭、F、G、A♭、B♭、C、D）。也就是说，在第 2 小节的两个震音，分别是 "Sol⇔La" 和 "Do⇔Re"；第 3 小节中的震音是 "Re⇔Mi"；第 4 小节中的两个震音分别是 "Mi⇔Fa" 和 "Fa⇔So"。如上述那样，通过该调的音阶来决定音程差。

而谱例 88 的场合，除了加入该调的音阶，还使用上了和弦的构成音。如第 2 小节的第一个震音，就使用了 Fm7 和弦的五音（C 音=La 音）和七音（E♭ 音=Do 音）。因为 Fm7 和弦是由 F（Re）、A♭（Fa）、C（La）、E♭（Do）这四个音构成，所以就采用了其中的 C 音和 E♭ 音来组成震音。在第 2 小节的第二个震音中，就采用了该调音阶的 Re⇔Mi，也就是 F 音和 G 音来构成震音。第 3 小节的震音采用了该调

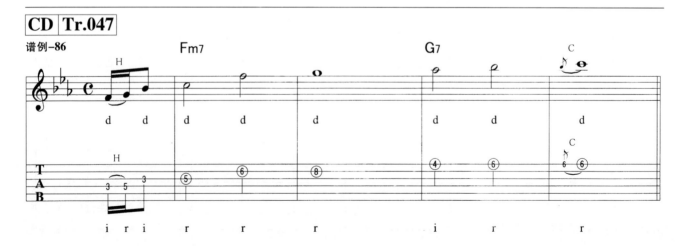

CD Tr.047

谱例-86

音阶的 Mi⇔Fa，也就是 G 音和 A♭ 音。第 4 小节的第一个震音也采用了同样的 Fa⇔Sol，也就是 A♭ 音和 B♭ 音。但是，第二个震音与至今为止学过的方法不同，它是在震音当中间杂使用到了该调音阶的组成音与和弦构成音，也就是说，使用到的音符，一个是该调音阶音 B♭（Sol），另一个是 G7 和弦的构成音 B 音（升 Sol）。G7 和弦的构成音为 G（Mi）、B（升

Sol）、D（Si）、F（Re）这四个音。由于使用了该调音阶中没有的 B 音，比其他震音有新意，所以这类震音也很容易被采用。

通过上述解说谱例 86、87、88，大家应该可以明白，震音的构成有三种方法：一是采用该调音阶的相邻音；二是采用和弦构成音；三是混合使用音阶内的音以及音阶外的和弦构成音。

CD Tr.048

谱例-87

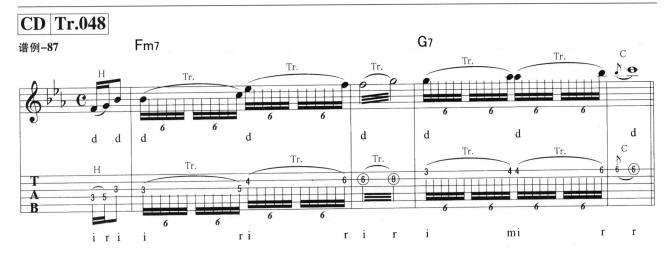

谱例-88

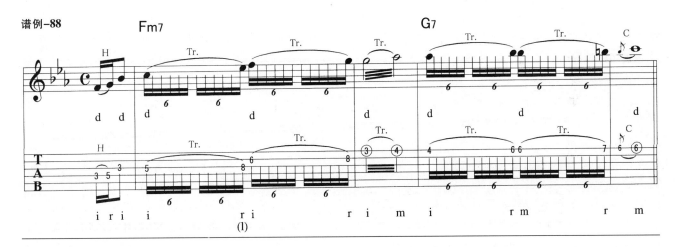

(l)

②震音中没有该调音阶音与和弦构成音，震音仅被作为装饰音使用

这就是刚才所说的谱例 89、90、91 的震音。在这些震音中，大量使用了与 Cm 调音阶、Fm7 和弦构成音无关的音符。练习曲本身是由半音音阶组成，它的特色是，G 音（Mi）向 C 音（La）移动的过程中，为了产生一种诡秘的音响效果，在这个练习曲中加入的震音，不管是像谱例 90 那样也好，像谱例 91 那样也好，只要能摆脱了调性与和弦音阶的束缚，使整个乐曲变得生动就算是好的。因此，一定要在练习曲的每个音前后加上装饰音，而且是相邻一个品位的半音震音。如果把这个练习曲

全部变成一音震音，也就是两品间的震音的话，整曲的韵味也就全部变了，特别是在 D 音→E 音的震音等地方，就会形成了一种不协调的感觉。像上述这样，当练习曲本身不是由该调音阶与和弦构成音组成的时候，就可以用原音符上下半音来装饰，也就是说，进行相邻 1 品的半音震音。

③作为经过音来使用震音

这里所说的是谱例 92、93、94。有点像上述②的情况，谱例 92 也是半音练习。但是，一般认为，这是在 A7 和弦的构成音 A（Do）、C♯（Mi）、E（Sol）、G（降 Si）中，由 C♯ 音到 E 音连接构成了这个练习曲。因为练习曲是由 C♯、D、D♯、E 这四个

CD Tr.049

谱例-89　Fm

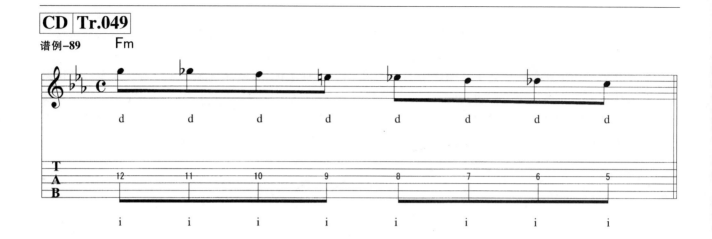

谱例-90　Fm7

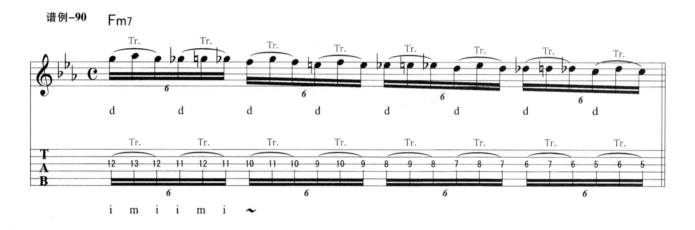

谱例-91　Fm7

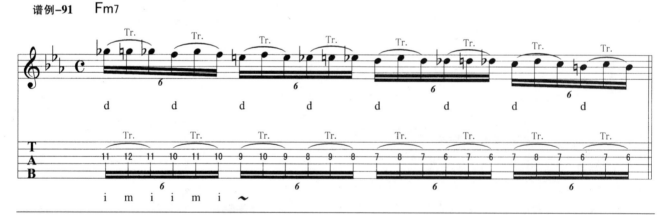

音构成，所以曲中的 D 音和 D♯ 音，就是 C♯ 音与 E 音之间的经过音。因此，最好在 D 音、D♯ 音中，保持能反映 C♯ 音和 E 音的韵味和性质。如果将这个练习曲的音整体移高三度的话（三度在指板上就是三个品位），曲中的音阶就变成了 E、F、F♯、G 这四个音，恰好又回到了最初 A7 和弦的构成音，也就是 E 音和 G 音。这就可以看出，即使乐曲整体上移三度后，仍然和原来的乐曲具有同样的性质。按照这个原理，就形成了谱例 93 的练习曲。

也就是说在谱例 93 中，第一和第四个震音的音阶选择，都出自 A7 和弦的构成音。而中间那两个震音，就是用经过音来组成的了。但是，由于在第二个震音中，有着该调音阶的 D 音，在第三个震音中，也有着音阶里的 F♯ 音，所以这些经过音听起来还是协调悦耳的。

谱例 94 中，虽说和②的原理一样，但由于练习曲本身就使用了经过音，所以震音也被认为是作为经过音来使用的。

谱例 87、88、90、91，是 Jeff Beck 等人经常使用的方法。谱例 93、94 是斯科比恩和范·海伦等人使用的方法。

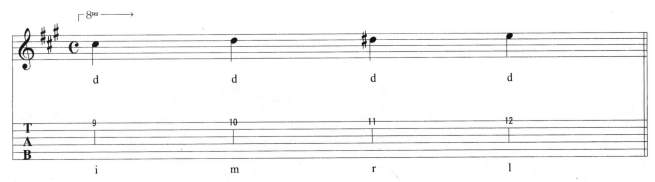

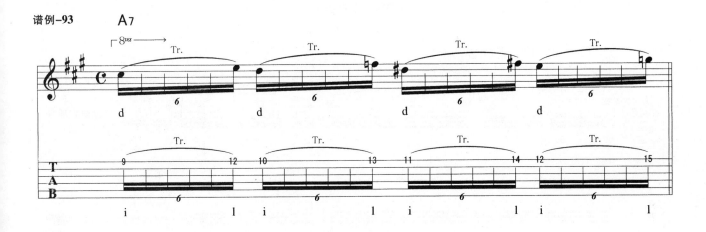

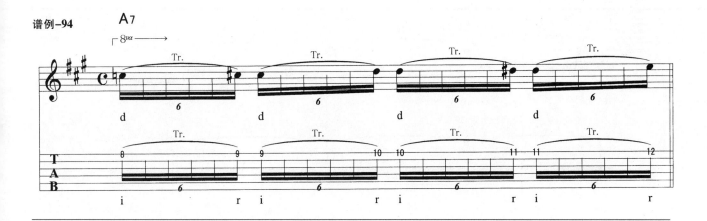

④通过 Practice 7，随着练习曲练习震音

这是 Gm 调的练习曲，4/4 拍，16beat 节奏，Reggae 风格。因为在第 3 小节中，和弦从 C 和弦变到 Cm7 和弦，所以震音就包含了这两个和弦的和弦外音。例如，在 C 和弦时采用了 E 音，在 Cm7 和弦时采用了 E♭ 音。第 5 小节的震音中，也同样在 C 和弦时采用了 C 音，在 Cm7 和弦时采用了 B♭ 音。在这样的和弦进行中，可以看到，震音中使用的音阶全是当前的和弦构成音，而不是下一个和弦的构成音。

C 和弦构成音
[C（re）、E（升 fa）、G（la）]

Cm7 和弦构成音
[C（re）、E♭（fa）、G（la）、B♭（do）]

Gm7 和弦构成音
[G（la）、B♭（do）、D（mi）、F（sol）]

E♭maj7 和弦构成音
[E♭（fa）、G（la）、B♭（do）、D（mi）]

Dm 和弦构成音
[D（mi）、F（sol）、A（si）、C（re）]

第 七 章

示范曲：Tr.051
伴奏曲：Tr.052

Practice 7 震音

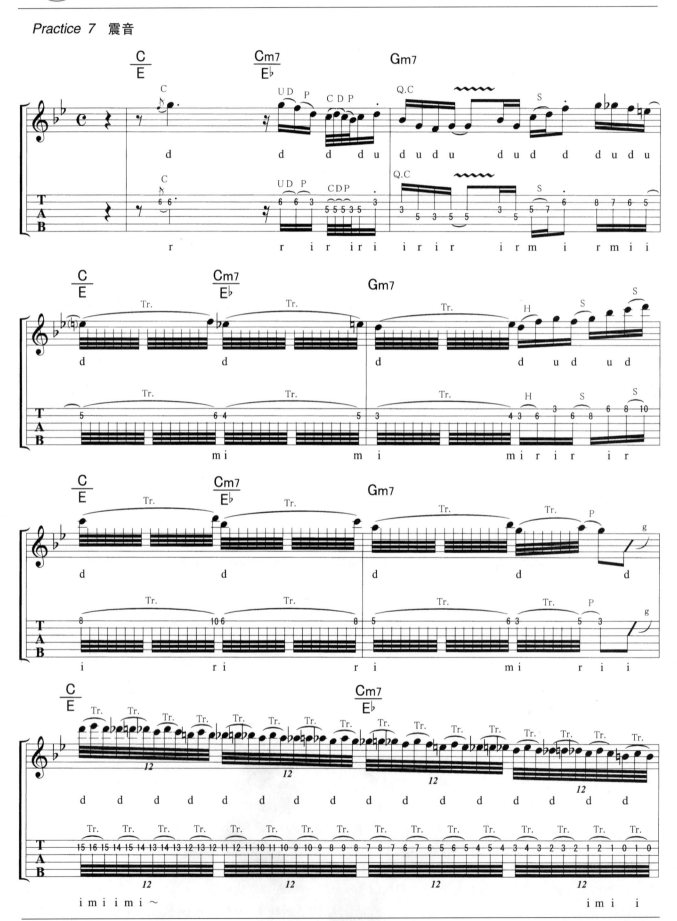

© 1980 by K.Kobayashi

第 七 章

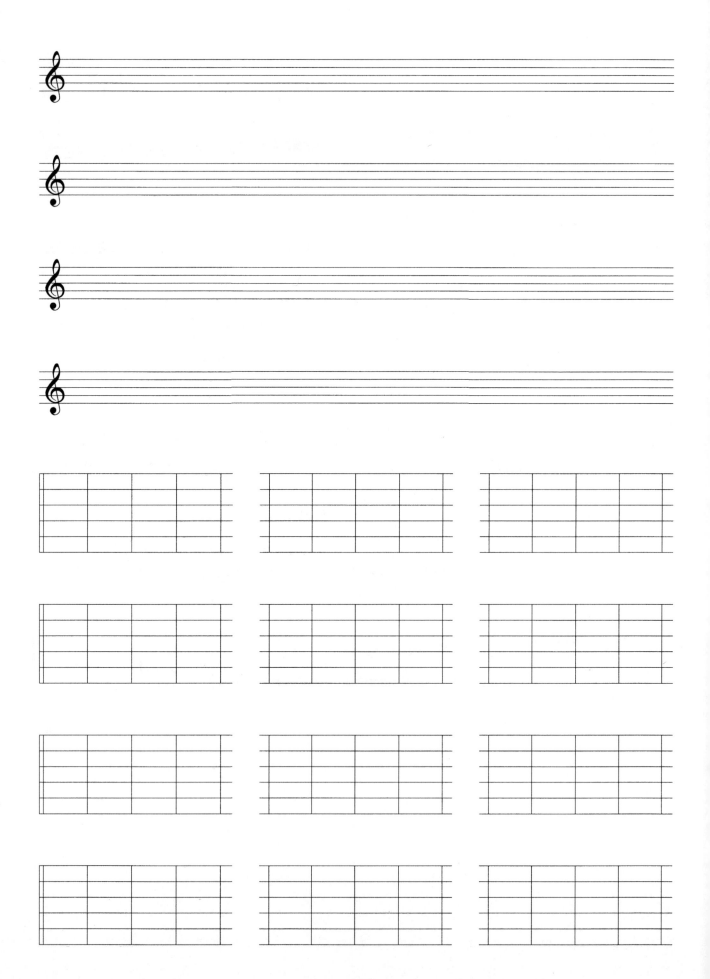

第八章　滑弦

　　滑弦的弹奏方法如初级编所述，如果能熟练掌握它的应用方法和使用方法的话，的确是一个很方便的技巧。首先，它能够实现把位的变换，其次，它能够流畅地连接乐曲。也可以说，就是通过滑弦的运用，改变了乐曲中千篇一律的弹奏。

①在把位变换中使用的滑弦

　　所谓"把位"，就是左手的食指和拇指握住的品位，即手腕支点的位置。虽说这个移动支点的动作，至今为止已经做过很多次了，但现在要做的，是流畅而不显呆滞地移动。这个把位的转换，正如初级编中所说的，通常音阶上行的时候用左手无名指按弦，音阶下行的时候用左手食指按弦，掌握这一点很重要。

　　谱例95是Blues风格的练习曲，在第2小节有个八分休止符。在休止的时候，因为要将把位从第5品移到第8品，在乐曲中就会出现空隙。这时，就应将它变成谱例96那样来弹奏。像这样，虽仅是把第2小节的C（推弦）换成S（滑弦），但也就不必要再插入八分休止符了，在滑弦后，可以轻松地进行颤音。从音符上来说，这两个练习曲虽然是

一样的，但由于使用了上述的处理方法，还是产生了不同的效果。如上所述，当手指不方便离开第5品把位时，最好还是使用滑弦。如使用滑弦技巧的话，就能很自然地将支点从5品移到8品。

②连接把位和乐句，使乐曲更完整

　　在此，并不是理论性地练习①中所说的滑弦方法，而是通过实践性的练习曲，通过形式和类型去领会它。现在，一边练习把位变换，一边练习把乐句连成一个完整的乐曲。

　　谱例97是吉米·佩吉风格的练习曲，在第2小节开头，就是从第5品把位向第10品把位的移动。在此曲中，从⑤弦7品滑向⑤弦12品的地方应该用无名指。接着，在无名指从④弦12品滑向④弦14品的同时，把位从第10品换到第12品。就这样，通过滑弦，把三个乐句和把位连接在一起，成为一个完整的乐曲。

　　谱例98是吉他手拉里·卡尔顿风格的曲子。第2小节的两个滑音，从②弦10品→②弦8品、从②弦8品→②弦7品，都是使用了食指。把位从第10品降到第7品。

CD Tr.053

谱例-95

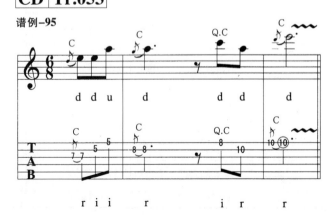

谱例-96

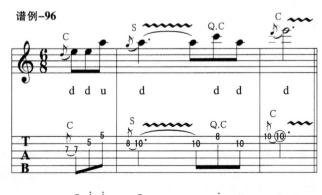

谱例 99 是杰夫·贝克的曲子，是典型的中指滑弦。首先，从最初的③弦 4 品滑向③弦 6 品时，把位支点定在第 2 品；从③弦 7 品滑向③弦 9 品时，把位变为第 8 品；接下来的从③弦 9 品滑向③弦 11 品时，把位又落在了第 10 品；从③弦 12 品滑向③弦 14 品时，把位落在 13 品；从③弦 14 品滑向③弦 16 品时，把位落在了 15 品；最后从③弦 16 品滑向③弦 18 品时，把位落在了 17 品。通常可以这么认为，把位就是食指按着的品位，而且，中指和食指经常要保持一定的姿势，就好像食指在中指的下一个品位那样。②弦上的食指和③弦上的中指之间相邻一个品位的关系，这是中指滑弦中最常用的类型，最好要牢记。以上就是在中指滑弦上加入食指的形式。

如上述那样，流利地进行如此眼花缭乱的把位

变化的话，其本身就是一个乐曲。而且，这个中指的滑弦，不管滑到什么地方停止（在六个滑弦类型中任选），都可以成为连接下一乐句的过渡。在此，也可以认为这个练习曲是通过六个连续的滑弦，将把位从第 2 品换到了第 17 品。

至此，大家应该能够明白怎样通过食指、中指和无名指来转换把位了吧。请自己反复练习，灵活运用滑弦技巧，流畅地连接乐句与乐句、把位与把位。

③通过 Practice 8，掌握通过滑弦连接乐句、把位的方法

这是 Am 调、8beat 节奏型的乐曲。把握那些把位在第 0 品、2 品、5 品、7 品、8 品、10 品、12 品、17 品，乃至在各个品位的乐句，努力把它们连成一个完整的大乐曲。

Practice 8 滑弦

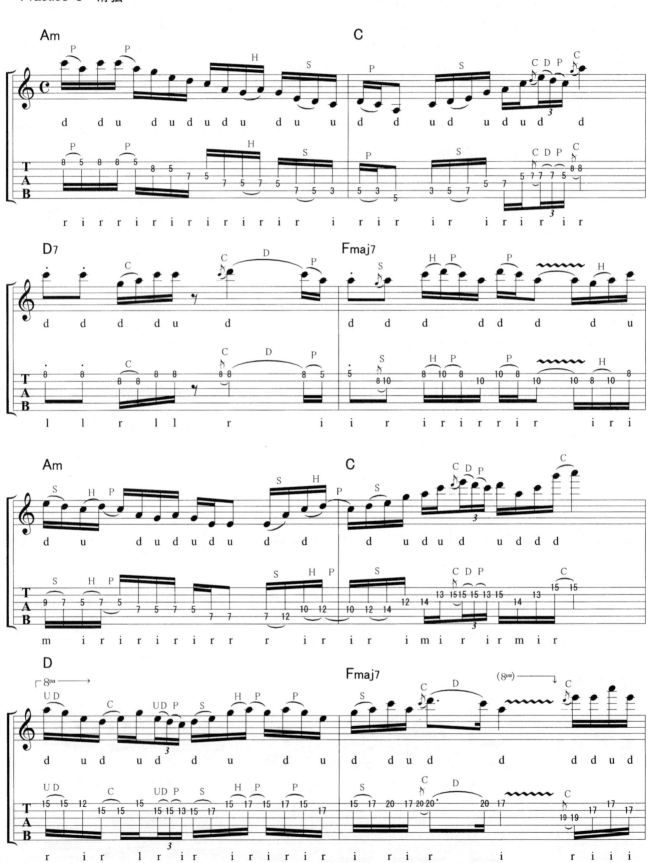

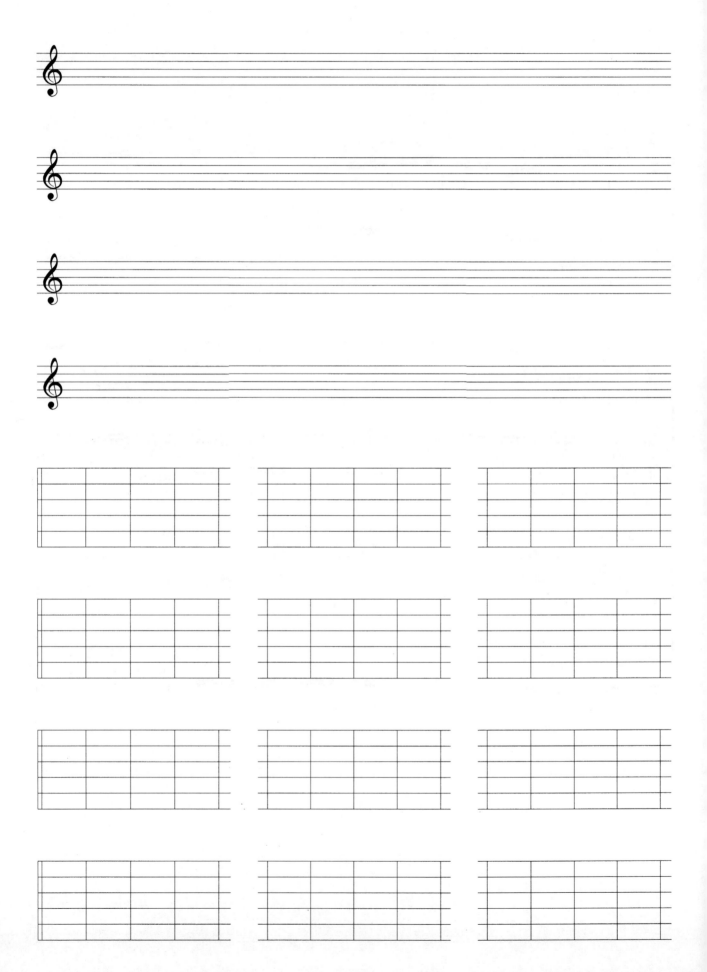

第九章　无定向滑弦

在本章中，练习包括无定向滑弦技巧的奏法以及如何使乐句本身、乐句之间连接得更流畅的无定向滑弦技巧。

①扫弦和无定向滑弦的组合应用

首先练习一下谱例100。其中，切音扫弦两下，拨片方向是d和u。而且，拨片的触弦点主要是在①、②弦，这时会"恰咔"地发出哑音，然后进行下行的滑弦，滑弦时，左手自由地按着⑤、⑥弦，弹响的同时滑向琴头，逐渐变弱也可以。如果在12品以上的位置弹奏哑音的话，滑弦的效果会更好。无定向滑弦时，至少要从12品附近的位置滑向3品附近的位置。滑弦时左手的指法完全是自由的，请在不同的把位试滑一下。

谱例101，仅仅是把谱例100的切音扫弦换成三连音而已。因此可以听到三连音的哑音，除扫弦以外，谱例101和谱例100是完全一样的。但是，由于是三连音的扫弦，拨片方向如果是d、u、d，接着弹滑弦时，拨片就只能是u了。因为无定向滑弦主要是在⑤、⑥弦上进行，所以拨片用d比较顺手。因此，如果切音扫弦时拨片采用u、d、u的话，接下来滑弦时就容易采用d了。

谱例102是把谱例100和谱例101结合起来，一拍一拍弹奏的练习曲。通常，像谱例100和谱例101这样的技巧，往往会被放在乐曲小节中的第四拍。但是，像谱例102那样，连续地弹起来也是很有趣的。在弹奏音乐时，中途加入这些技巧，作为主音的强拍来使用的话，效果是很好的。这是拉里·卡尔顿常使用的方法，运用得当的话能够给乐曲增添色彩。

②一边震音（拨片快速地d和u）一边滑弦

谱例103中的两种滑弦是，右手拨片以最快速度在①弦震音的同时，左手在①弦上滑，上滑后又下滑。上滑的方向、拨片的方向和滑弦的距离全部是自由的。可以说，完全是随当时的心情和手指而定。相对滑弦距离的变化，这时强调更多的是起奏音。关键是右手拨片的速度，要配合好左手上滑、下滑的时值。摇滚吉他手往往会在兴奋的现场演出中使用这个技巧，特别是R.Blackmore和盖里等人更是擅长此法。

谱例104可以说是本恰兹的得意之作，在 *Rolling Stongs* 和 *The Fool* 等曲中也有这种技巧的效果。这是在⑥弦上，一边用16beat的节奏弹奏，一边下行滑弦。不管是谱例103还是谱例104，也不管是在①弦还是在⑥弦上，甚至在①、②两根弦上滑弦，总之，如何弹奏好起始音是最重要的问题。

对这种滑弦加震音的情况，谱例105中列举了多种记谱方法。

③为了进入乐句而使用的滑弦

首先看谱例106，这是C调的Blues，在吉他声部开头就使用了无定向滑弦。这是Eric Clapton经常使用的乐句，既可以作为Solo开头，又可以引导出不同的乐句。其他的吉他手，如B.B.King和Lari Carlton，亦都使用相似的乐句。虽说不用无定向滑弦也能弹出从③弦12品到③弦14品的一般滑弦，但如果想制造出绵密而又有感染力的声音和韵味的话，还是使用无定向滑弦更为有效。

像上述那样，无定向滑弦一般在乐曲的开头，因为能给下一个乐句带来活力的作用而被使用。谱例107的乐句中，也使用了同样的无定向滑弦奏法。这是G.Lynch风格的乐句，在此也是由于第1小节的无定向滑弦，给第2小节的乐句带来了灵气。通过第3小节开头的下行滑弦，下一个上行滑弦也被带活了。另外，谱例108也是通过同样的方法，用开头的无定向滑弦，带活了接下来的乐句。在无定向滑弦这样的用法中，还有另一层意思，这就是赋予了乐曲更多的律动感。例如在谱例106，如果不用滑弦而直接开始演奏，那么，由前面的歌唱部分、或键盘Solo、或吉他Solo等引出的这段吉

他Solo就会失去律动感，听起来总会觉得有点唐突，有点不自然。谱例107也是一样，通过在第2、3小节的两个无定向滑弦，使全曲更加自然流畅。如果谱例107完全不用无定向滑弦来弹奏的话，不但声音听起来空白无力，而且会发出手指碰弦的那种硬邦邦的杂音。当然，第2小节后面乐句中的无定向滑弦（第3小节的第一拍），也对全曲的律动感有着很大的影响，谱例108也是一样，如果没有无定向滑弦的话，全曲就会变得毫无趣味，乐句也显得很唐突。在谱例108中，从第1小节里加入无定向滑弦后，它的时值就能对下一个乐句的律动感起到决定性作用。

CD Tr.058

谱例-100　　　　　　　谱例-101　　　　　　　谱例-102

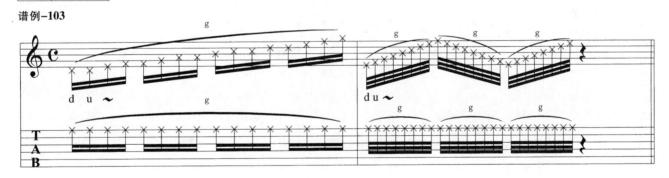

CD Tr.059

谱例-103

谱例-104　　　　　　　谱例-105

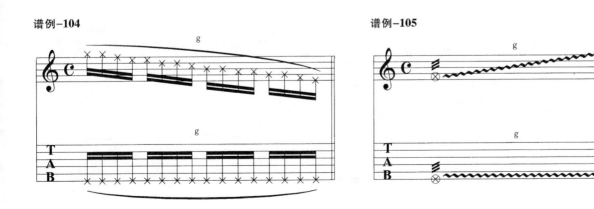

CD Tr.060

谱例–106

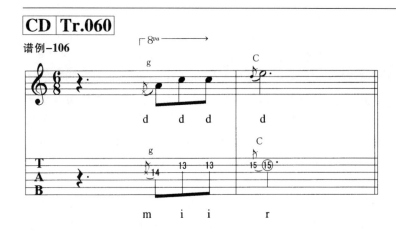

CD Tr.061

谱例–107

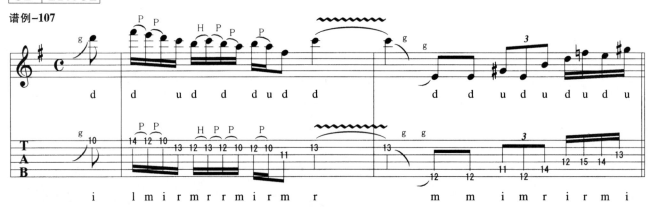

谱例–108

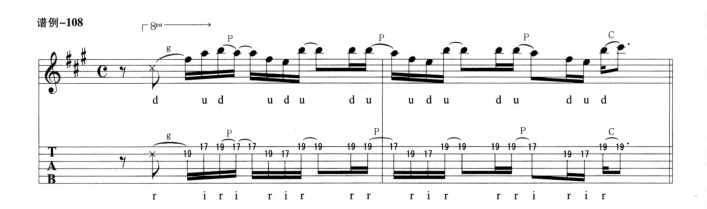

谱例–109

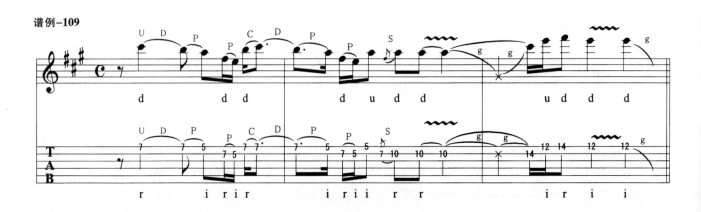

④现在，练习能流畅地连接乐句的无定向滑弦

用无定向滑弦来连接乐句最后的滑弦和引导出下一个乐句的滑弦。也就是说，比如有一个乐句，靠本身的无定向滑弦保持了内在的律动感，而在这个乐句的前后，又各有一个无定向滑弦，起到了承前启后的作用，而且因为在乐句之间又没有将音乐中断的必要，所以就可以在两个乐句之间用无定向滑弦把它们连接起来，合成为一个更大的无定向滑弦，使乐句的连接更有律动感。

在谱例 109、110、111、112 中，要几乎是不中断地、律动地把乐句连接起来。按照上述方法试着练习一下。在谱例 109 的第 3 小节开头，两个无定向滑弦连在一起，形成 g&g。在第 2 小节的最后一拍，也是用无名指从②弦 10 品开始下行无定向滑弦，一直滑到第 3 小节第 1 拍，从第 1 拍开始，马上又接着上行滑弦到第 2 拍②弦 14 品，当然，因为在上述的下行和上行滑弦中，都是不用拨片弹

奏，仅靠左手滑弦就把音连在一起，所以不管它的音量多大，下行滑弦时只能滑到②弦 3 品或②弦 4 品的位置。

在谱例 110 中，第 2 小节第 2 拍的位置，无名指在③弦 16 品开始下行滑弦，然后又再滑回③弦 16 品。这种处理，仍是下行+上行的无定向滑弦，写作"g&g"。谱例 111，在第 2 小节的开头，无名指从②弦 10 品开始下行滑弦，然后又上行滑回②弦 14 品。谱例 112 也是在第 2 小节的开头，中指（或用食指）从②弦 17 品下行滑弦，然后又滑回②弦 17 品。这样，通过 g&g，把乐句连接起来，就能创造出连绵不断的、律动的吉他 Solo。

在此，再看回③中所说的无定向滑弦，谱例 107 的第 2 小节中，上行和下行无定向滑弦是分开进行的。提醒一下，如果它们之间没有四分休止符连接起来的话，就变成了谱例 109~112 那样律动的 g&g 了。

示范曲：Tr.063
伴奏曲：Tr.064

Practice 9 无定向滑弦

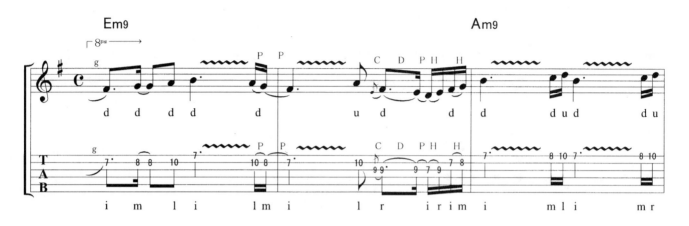

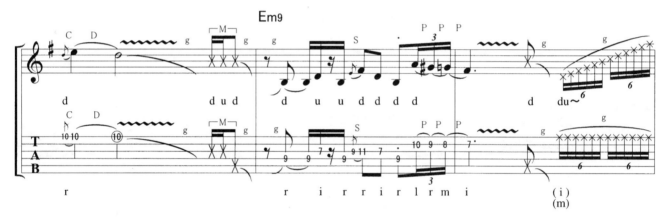

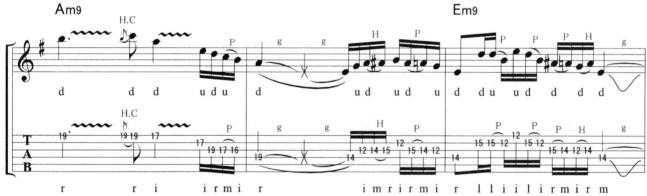

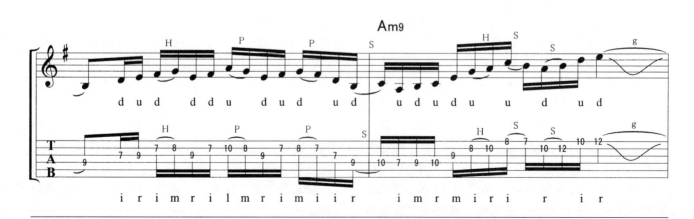

⑤通过 **Practice 9** 来练习：切音扫弦+无定向滑弦，震音+无定向滑弦，用无定向滑弦导出乐句，g&g

这是 Em 调、8beat 的乐曲。练习时，要边思考乐曲的律动性边弹奏。

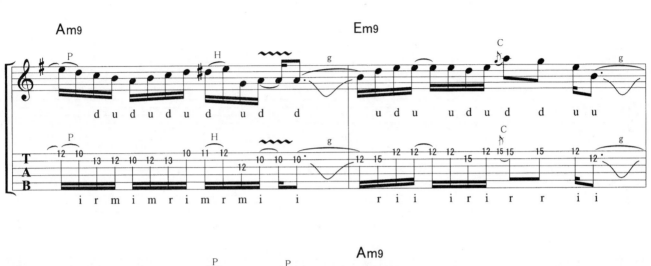

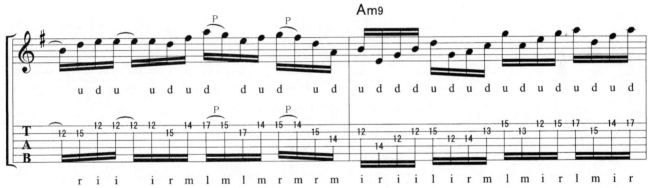

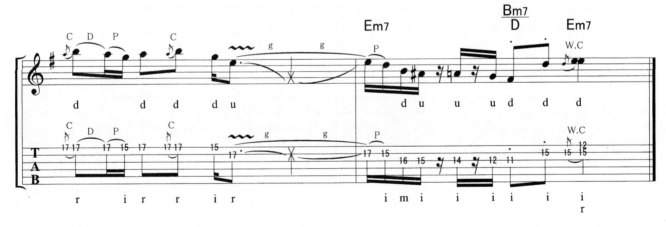

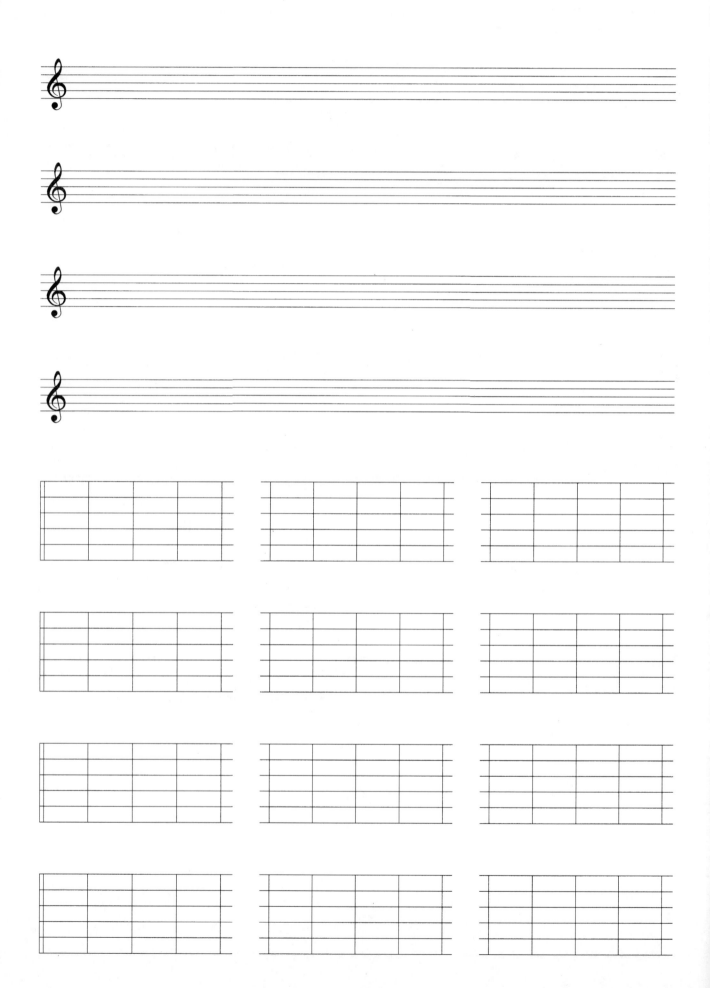

第十章　制音

在本章中，练习八度音奏法和哑音扫弦（chopping）技巧。再研究一下制音的重要性。

①八度音奏法，是爵士吉他的奠基石，从维斯·蒙哥马利开始，到乔治·本森、杰夫·贝克、里多纳，乃至其他有名的吉他手，几乎都掌握的一种吉他技巧

看着谱例113的六线谱，大家一眼就可以明白它的弹法吧。谱中的旋律，全是由C、C、D、E、C、A、G这七个音和它们的八度音构成。这样的构成，使旋律带有一种雄厚的稳定感，听起来的感觉，虽说好像在12弦吉他第③弦以下的低音弦上弹奏一样（12弦吉他的每根弦分别由两根复弦构成，第①、②弦的两根复弦的音都是一样的，并不构成八度音），但实际的声音效果却是不同的。看着六线谱就会明白，虽然是同时弹响六根弦，但除了必要的两根弦外，其他弦要全部制音，因此发出的声音和12弦吉他是不同的。

首先从第1小节开始练习，小指按在①弦8品，接着食指按在③弦5品，用食指的指腹，或者用中指、无名指来为②弦制音。中指和无名指躺下，一起为④、⑤、⑥弦制音。这样一来，即使弹响全部六根弦，也只会发出①弦8品音和③弦5品音了。通常来说，拨片方向全是用d。而且要弹到所有六根弦，如果能像是扫弦那样来弹奏就更好了。在弹奏速度很快的乐句时，有时拨片也会使用u。

另外，爵士吉他手如维斯·蒙哥马利等人，弹奏八度音时不用拨片，多数是用右手拇指来弹。这是因为可以得到比拨片弹奏更柔美的声音，并且音头不会太明显。希望读者在掌握了八度音奏法后，

再去挑战这种拇指奏法。首先，还是使用流利的拨片技巧去练习八度音奏法吧，拨片的方向全部是d。

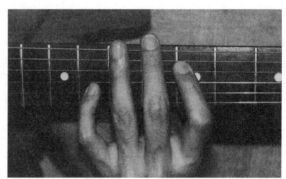

◄ 八度音奏法

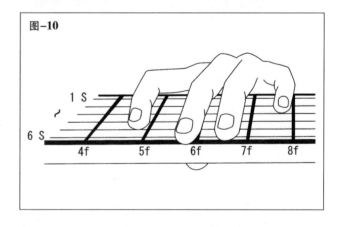

图-10

图10是谱例113第1小节的手型。虽说中指和无名指浮按在六根弦上，但由于食指按住了③弦5品，所以比起②、④、⑤、⑥弦来说，③弦的弦高自然就降低了。因此造成了③弦不会被制音（能被弹响）。如果想在演奏八度音技巧时获得较好的制音效果，记住不能用力太大，中指和无名指在此处制音时，重要的是将手指控制在若即若离的触弦程度。另外，对应一根弦，就一定要有两根手指来

制音，如果制音不善，导致琴弦发出泛音（谐波）的话，弹奏就变得毫无意义了。

现在弹到谱例113的第2小节。保持图10的手型，整体上移两品，如果能练到再上移两品就更好。要充分地练习，直到随时都能用这种手型来按弦演奏。

接着到第3小节。这次的八度音不是在①、②弦上，而是在②、④弦上。用小指按着②弦13品，用食指按着④弦10品。同时，用小指、中指、无名指为①弦制音，用食指的指腹和小指的指尖为③弦制音，用中指和无名指为⑤、⑥弦制音。此时，如果把中指和无名指伸直，浮按在六根弦上的话，小指自然也会浮按在上面，这样一来，就容易使①弦13品也发出声音，造成不和谐。所以，中指和无名指要立起一定的角度，以根部将要碰到①弦的姿势来为⑤、⑥弦制音。这样的话，就只能用小指的指尖来为③弦制音了（图12）。接着保持上述手型，整体下移三品。用小指按住②弦10品，食指按住④弦7品。在第4小节的地方，又再整体下移两品，小指按住②弦8品，食指按住④弦5品。

除此之外，还有一种奏法，它虽然不称为八度音奏法，却也使用八度音的按法。例如，用食指按住①弦8品，同时用无名指按住④弦10品。接着，

拨片弹响④弦10品，同时右手中指也弹响①弦8品。使用这种奏法时，就不必要制音。它所发出的声音也接近于12弦吉他，而像八度音奏法那样的声音就出不来了。

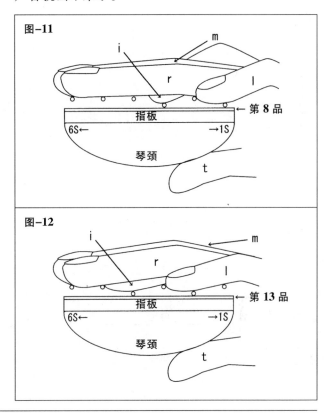

②在①、③弦上，或在②、④弦上的八度音奏法，食指和小指相距3品；在③、⑤弦，或在④、⑥弦上的八度音奏法，食指和小指相距两品

谱例114，是在⑤、⑥弦上的八度音奏法，乐句的速度多少要比前面的快了一点。首先是④、⑥弦合奏：用小指按住④弦5品，食指按住⑥弦3品。为了方便制音，这里不用无名指而用小指按弦，虽然和食指只相邻两品。在这里当然也可以用无名指，但如果用无名指按住④弦5品的话，小指就很容易碰到②弦6品的位置。而且，如果坚持要制音的话，无名指按住的④弦5品音也不能清晰地发出来。另

外，当需要快速移到在②、④弦和①、③弦上的八度音时，如果指法不能一致的话，就会非常麻烦。在这里，要用食指、中指、无名指和小指的根部为①弦制音，用中指、无名指和躺下来的小指指腹来为②、③弦制音，用食指指腹和小指指尖为⑤弦制音（图13）。

在弹到谱例114的第二个八度音时，最好是将前一个八度音的指法，整体上移两个品位。小指按住④弦7品，食指按住⑥弦5品。现在，练习在③、⑤弦上的第三个八度音。首先，小指按住③弦5品，食指按住⑤弦3品，用食指、中指、无名指和

CD Tr.065

谱例-113

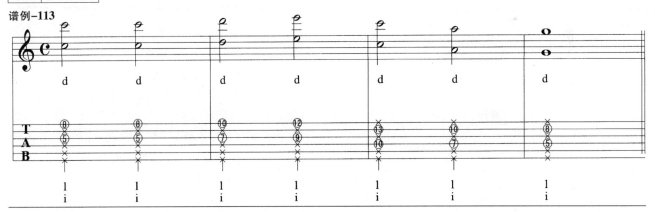

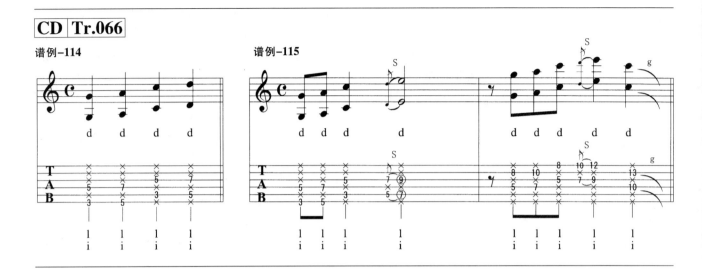

CD Tr.066

谱例-114

谱例-115

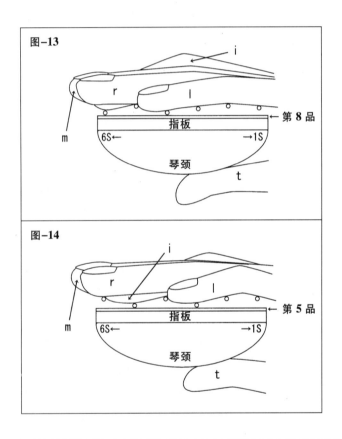

图-13

图-14

小指的根部为①弦制音，用中指、无名指的指腹和躺下来的小指指腹来为②弦制音，用食指的指腹和小指的指尖为④弦制音，用中指、无名指和食指的指尖为⑥弦制音（图14）。最后一拍，再把这个指法整体上移两个品位，小指按住③弦7品，食指按住⑤弦5品。

至此，就学完了在所有弦上的八度音奏法。读者最好能够用这个八度音奏法练习弹出自己喜欢的旋律。另外，在八度音奏法里，虽说不能使用捶弦和勾弦、推弦等技巧，但可以使用滑弦和无定向滑弦，所以最好也练习一下谱例115。在这里，指法和拨片弹法都是和前例一样的，左手只用到食指和小指，拨片只用到d，所以在谱面上就省略不标明了。

③通过谱例116，练习八度音奏法

在谱例116的乐句中，拨片使用了d和u，理由是，这里不是在旋律中使用的八度音奏法，而是类似扫弦的奏法。所以，左手一直在同一位置按住同样的品位，带有"＞"符号的是重音。在八度音奏法中，也有这样的用法。

CD Tr.067

谱例-116

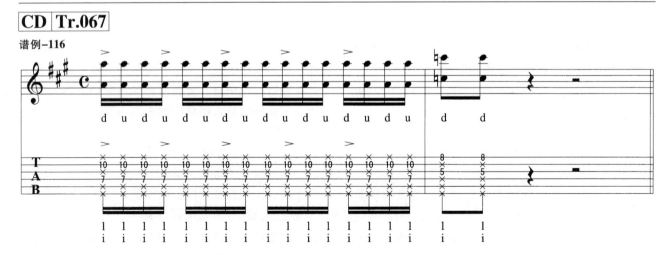

④所谓哑音扫弦，就是制造装饰音的技巧，这种装饰音里仅包含着无音高的起奏音和节奏

　　虽说被称之为哑音扫弦奏法，但还是要使用到制音技巧。如谱例 117，只是从乐曲中抽出一个小节为例。对于在这个小节开头被弹的 A 音，在前一小节的第 4 拍开始，或者从第 4 拍里开始，就使用了这个哑音扫弦技巧。这样一来，既可以强调出这个 A 音，又可以流畅地连接前面的小节。像谱例 117 那样注明装饰音符的场合，就表示要在前一小节的末尾，或者是在前一拍的末尾（略位于被弹音前），使用哑音扫弦技巧。另外，由于哑音扫弦是没有音高的，所以×符号写在五线谱的哪个位置都没有关系，只是根据×在六线谱上的位置，判断该弹哪根弦。

　　从第⑥弦往一弦进行的哑音扫弦，拨片全部用 d；反过来，从①弦往⑥弦进行的哑音扫弦，则全部用 u。由于左手剩余的手指全部用来制音，所以就不专门指定指法了。这个被弹音，在谱例 117 的话就是①弦 5 品音，要预先用食指按住，剩下的中指、无名指和小指，分别为②、③、④弦制音。拨片使用 d，从④弦往①弦慢慢弹下来。谱例 118 中，因为在哑音扫弦里有四个音，所以预先要用食指按住①弦 8 品，剩下的中指、无名指和小指一起为②、③、④、⑤弦制音，拨片从⑤弦开始弹下来。而在谱例 119 的场合，先要弹响食指按住的一弦 7 品音，接着为②、③、④弦制音，拨片用 u，按照②、③、④弦的顺序弹上来。谱例 117 中，哑音是作装饰音来使用的；而在谱例 118 中，哑音扫弦却是十六分音符；谱例 119 又是三连音，所以要注意节奏稳定地练习。

CD Tr.068

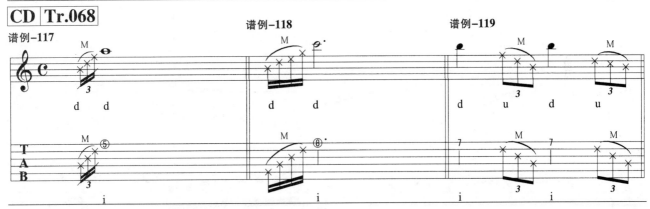

谱例-117　　　　　谱例-118　　　　　谱例-119

⑤有名的吉他手几乎都使用哑音扫弦，有名的乐手都很擅长制音

　　谱例 120 是乔·萨特里亚风格的乐句，是有效地使用哑音扫弦技巧的典型例子。通过开头的哑音扫弦，更进一步地强调了在①弦 21 品的推弦音。谱例 121 是 Rich Blackmore 风格的乐句。在曲中，连续使用了两个节奏类型、拨片弹法各不相同的哑音扫弦，弹奏的关键是，在①弦 17 品和①弦 12 品的地方使用小指按弦，而另用食指、中指和无名指来制音。

　　谱例 122 是吉米·亨德里克斯式的哑音扫弦奏法，由于他具有天才演奏水准，所以在最细微的地方也演奏得游刃有余。另外，使用中指的哑音扫弦也很少见，此时就应该用食指、无名指和小指来制音。

　　谱例 123 是华伦·德·马尔蒂尼风格的乐句。当出现了富有速度感的乐句时，作为它们之间的纽带，就可以有效地使用哑音扫弦。注意，哑音扫弦时的拨片奏法，不管全部用 d，还是全部用 u，都是只用一个 d 或 u 来记谱。

CD Tr.069

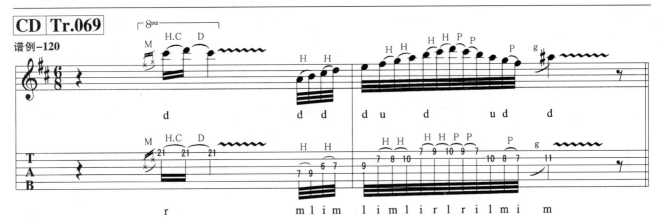

谱例-120

CD Tr.070

谱例-121

谱例-122

谱例-123

⑥通过 **Practice 10**，练习八度音奏法和哑音扫弦奏法

这是 C 调、12/8 拍子的乐曲。你也可以把它看

作是将两个 6/8 拍子放在一个小节里构成的。一定要将"制音"时刻铭记在心，即使只运用在普通的乐句上，也可以减少杂音。

示范曲：**Tr.071**

伴奏曲：**Tr.072**

Practice 10 八度音奏法和哑音扫弦

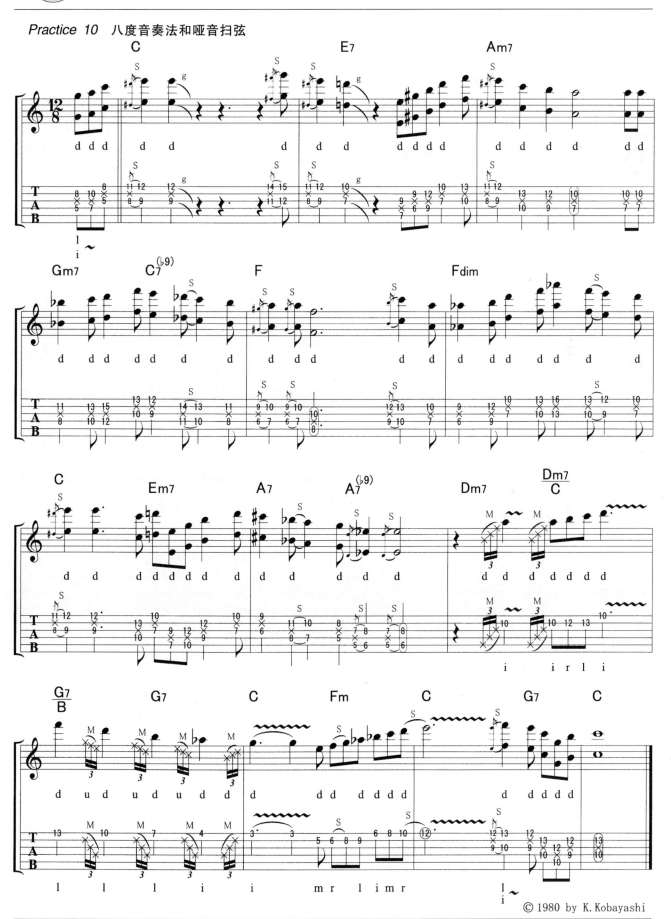

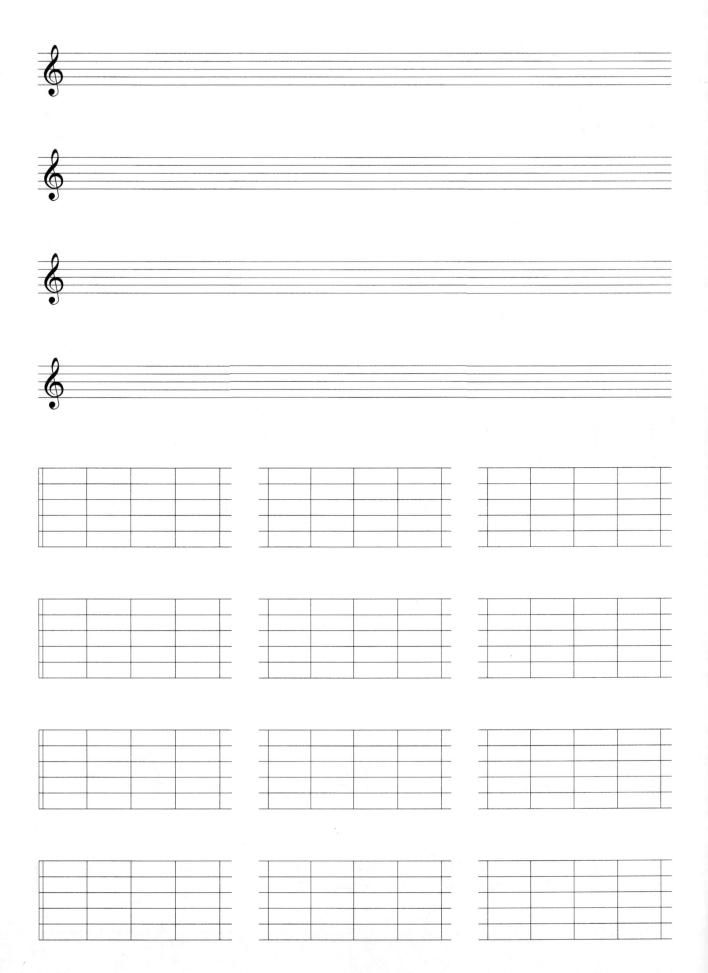

第十一章 跳音

运用拨片来制造的跳音，是最方便实用而又有感染力的。对于断音、止音、消音这一"作业"的全过程来说，再也没有比拨片更好的终止声音的设备了。另外，还要学习使用右手来弹奏跳音的方法。

①拨片跳音

在初级编中，已经学习了在推弦时使用拨片来弹奏跳音。如果想在保持推弦状态的同时，通过左手浮按的方法来消音的话，确实是有点勉强。另一方面，弹奏和弦时，使用拨片又只能是消除一根弦的声音。所以，还是使用左手来制造跳音比较方便。

在此，姑且排除硬摇滚之类的吉他曲不弹，先在没有推弦的地方，练习使用拨片来弹奏跳音。

首先，必须改变拨片本身的弹奏方式。至今为止，拨片都是沿着与品位平行的方向弹弦。而现在，拨片是以几乎与琴颈和品位垂直的角度来触弦。就是说要练习像图 16 那样触弦，并弹奏出声音来。以前的拨片弹奏方法，都是靠右手的手指运动和手腕甩动来实现的，拨片前端采用划圈触弦。现在却是靠弯曲手腕来进行的。

光看图 15 的话，可能比较难理解，请配合图 16 进行分析。拨片的运动方式，如图 17 所示，弦被弹响后，拨片马上又靠回到琴弦上，这样琴弦就停止振动了。在瞬间完成上述动作的话，就弹出跳音了。拨片的角度是自由的，可根据乐句的难易程度和自己喜欢的音色而定，像图 18、19 那样来弹奏就比较好。如果选择图 19 那样的触弦角度，就会形成非常浑厚而猛烈的音色。而图 17、18 那样

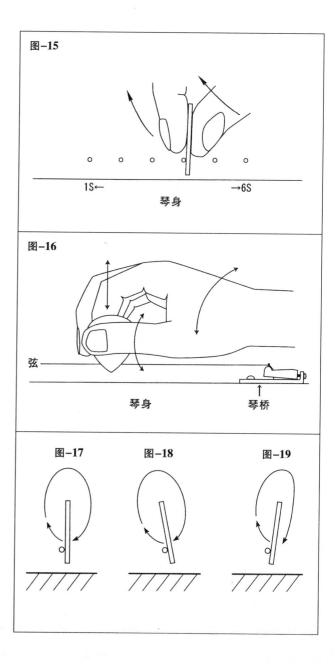

图-15
1S←   →6S
琴身

图-16
弦
琴身   琴桥

图-17   图-18   图-19

的触弦角度，会使弹弦力量变弱，从而导致音量和音色都受到抑制。

这种弹奏方法，不用说，全都只是在拨片采用 d 的时候才能使用了。因此，只适合用在比较缓慢的乐曲中弹奏跳音。通过实践能知道，当拨片靠回被弹响的弦时，会发出"喀嚓"的一声，弦的振动也停止了，跳音也因此产生了难以言状的感染力。

而且，拨片的材质、硬度、大小、形状乃至琴弦的不同，都会让跳音产生微妙的变化，在听众的耳朵里，就变成了各个吉他手的风格。在此多说一句，如果你想模仿哪个超级吉他手的话，在吉他、音箱、效果器、琴弦和拨片完全一样的基础上，刻苦钻研技巧是更重要的。

②通过谱例 124，练习使用拨片来弹奏跳音

CD Tr.073

谱例-124

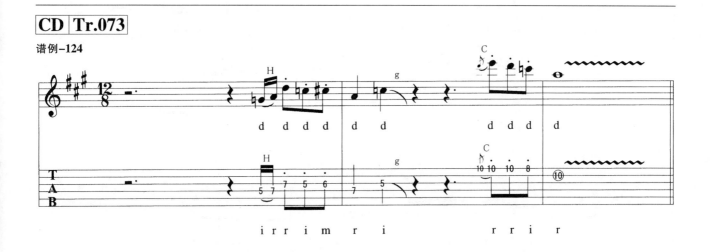

③使用右手来弹奏跳音

现在思考一下，在不用拨片又不用左手指的情况下，如何弹奏跳音。

谱例 125 的乐句，因为是第⑥弦空弦音的跳音，所以不能使用左手浮按的方法来断音，即使想在弹响⑥弦后马上用左手来制音，也没有空余手指可用。而且，即使想用左手食指指尖来制音，由于食指是按在④弦 2 品，所以也触不到⑥弦。如果想用拨片弹奏跳音的话，首先因为速度比较快，其次，弹到第二个跳音时拨片又是 u，所以也没办法。这样一来，当其他手段都不奏效时，就要用右手掌根来制造跳音了。当然，比起左手跳音和拨片跳音，右手跳音的确不够流利，有点慢悠悠的感觉，但这也是没办法时的办法。像图 20 那样，弹响弦后马上用右手掌根部分触弦，重点是要尽可能干净利落地中断声音。如果右手掌根触弦时太靠近琴桥的话，就不能干净地断音。因此，掌根触弦的位置，应该距离琴桥 2~3 厘米。但是要注意，右手不要将下一根要弹的弦也制音了。

④通过 Practice 11，练习拨片跳音和右手跳音

这是 C♯m 调、16beat 的乐曲，但是其中也有 8beat 的乐句。要注意乐句之间的细节，节奏不要乱，要掌握"跟着拍子（after beat）"的感觉。

谱例-125

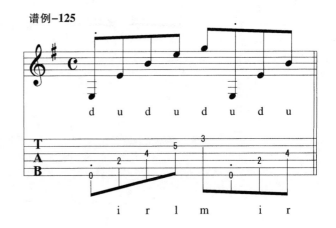

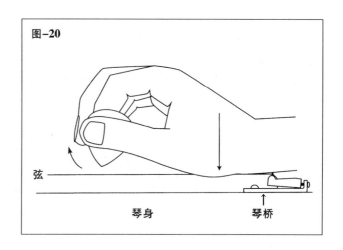

图-20

示范曲：Tr.074
伴奏曲：Tr.075

Practice 11 拨片跳音和右手跳音

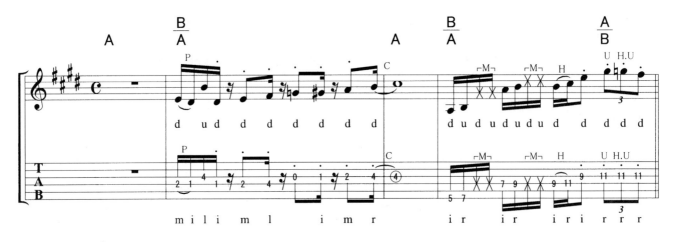

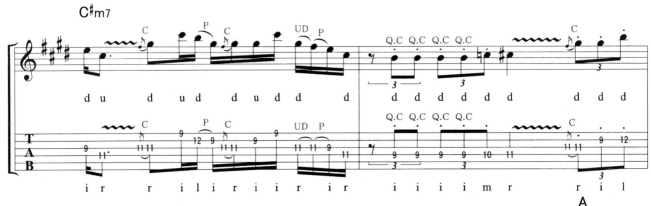

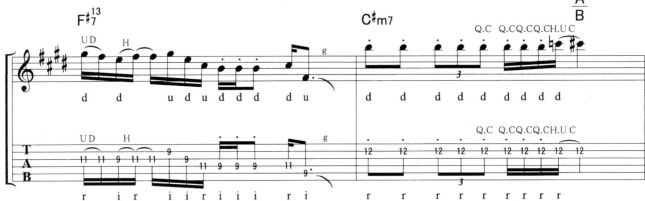

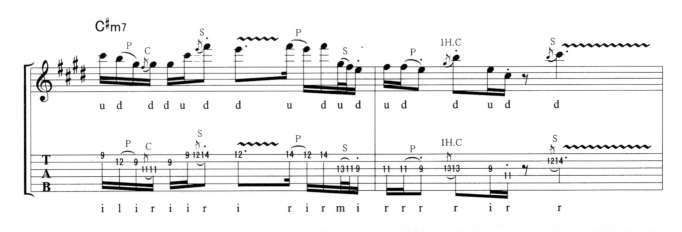

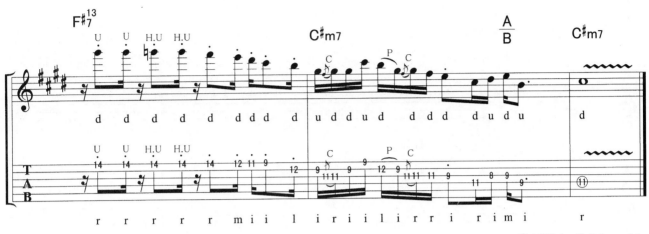

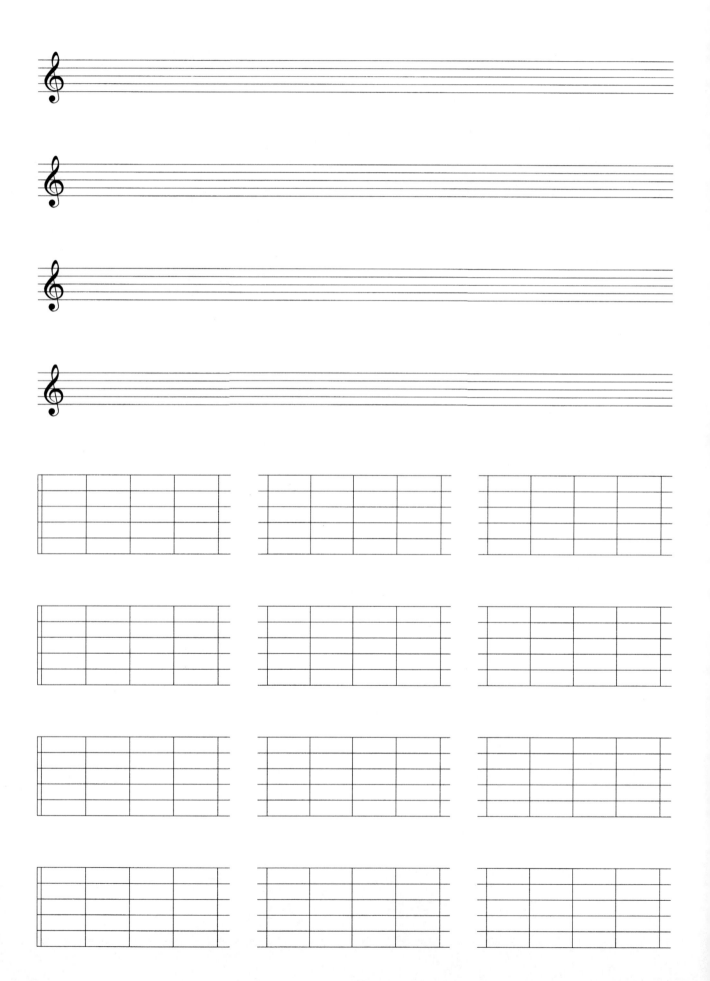

第十二章　颤音

　　在摇滚乐中使用的摇把颤音（仅限于没有推弦的情况下），是通过摇出比原音更高的声音来制造颤音的方法（参阅初级编）。也就是说，这时的音调听起来比原音略高，形成了一种欢快、明朗的声音。但是，如果想制造一种忧伤的声音，最好还是使用推弦颤音的方法。本章学习的就是要掌握推弦颤音的方法。

①所谓推弦颤音，就是推弦后，在琴弦保持上推（或下拉）的状态下进行颤音

　　谱例 126 就是推弦颤音的练习。至于推弦的音程，不管是一音半也好，一音也好或者半音也好，颤音的方法都是不变的。具体方法如：在谱例 126 的场合，首先进行一音推弦，在推上一音后，稍微作一下推弦释放，当然，这个推弦释放不至于要降到半音以下，相当轻微地作推弦释放后，又回到一

音推弦的状态。将上述动作重复，就成了推弦颤音，你也可以把它看作是摇把颤音的反动作。

　　像谱例 127 那样，从缓慢而轻微的推弦颤音开始练习。接着像谱例 128 那样，徐徐地加快速度，最好是弹出颤音的感觉。但要注意，如果音高颤动得太快的话，声音就会变得毫无吸引力。如果不能按照谱例 127 那样缓慢地，跟着谱子节奏来颤音的话，就不能说是完全掌握了颤音。记住，要带着一种让吉他歌唱的感觉去弹奏颤音。如果能像谱例 128 那样，徐徐地加快颤音速度就更好了。另外，试着加大颤音的幅度（音高的变化），试着进行 1/4 音、半音、一音等推弦。所谓的大颤音，实际上也是一音推弦和推弦释放的反复。

　　有一个地方一定要注意，推弦后不要马上进行颤音。原因是，如果马上进行推弦颤音，而且又是

CD Tr.076

谱例-126　　　　　　　　　　谱例-127　　　　　　　　　谱例-128

大幅度颤音的话，那么，那个推弦的音程，到底是半音呢，还是一音呢，甚至还是一音半呢，就变得不明确了。这样一来，不但旋律被搞乱，还会产生一种不和谐的声音。记住，推弦后，首先要让推弦后的音得到一定的延长，再进行推弦颤音。

这个推弦颤音，与摇把颤音相反，它颤动的音比原音（即推弦后的音）低，这样，就会让人觉得

它的音调较低，因而形成了一种忧伤的声音。希望读者能够好好把握以上原理，这样就能够分清何时该用摇把颤音、何时该用推弦颤音。谱例129是忧伤的推弦颤音乐句，谱例130是欢快的摇把颤音乐句，试着弹奏比较这两种情况，用身体去掌握它们的不同韵味。

CD Tr.077

谱例-129

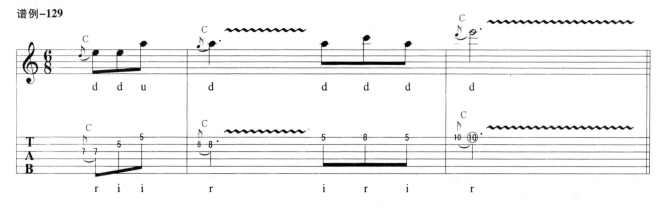

谱例-130

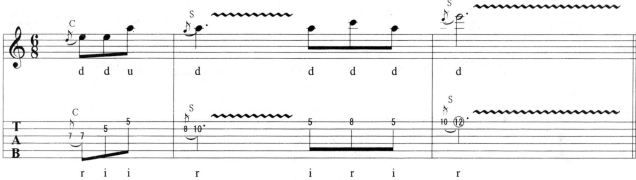

谱例-131

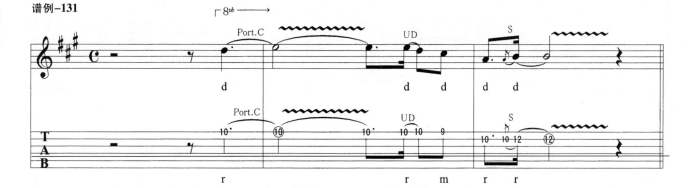

②推弦颤音的幅度和速度，能够表达出吉他手的风格。不同的吉他手，能弹出完全不同的声音

在谱例131的乐句中，不但加大了颤音的幅度，同时加上了不同的速度，多练习一下不同的类型。

③通过 Practice 12，联系推弦颤音，掌握推弦颤音

的不同用法

这是 B♭ 调、16beat 的 Shufflt 乐曲，所以要注意有三连音的地方。这个练习曲和②的情况一样，也要带上不同的颤音幅度和速度来练习，探索一下如何建立自己的风格。

第 十 二 章

示范曲：**Tr.078**

伴奏曲：**Tr.079**

Practice 12 推弦颤音

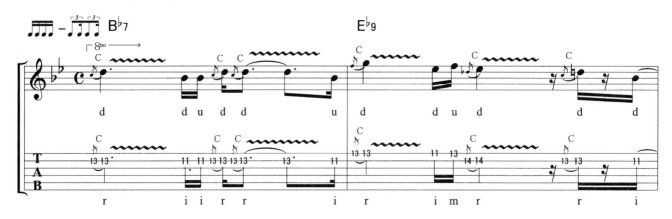

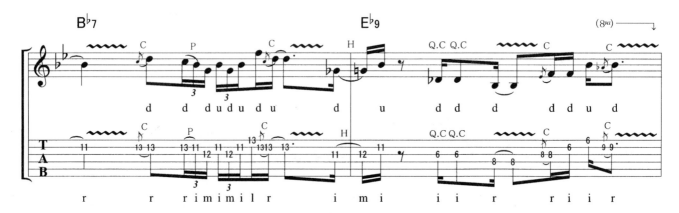

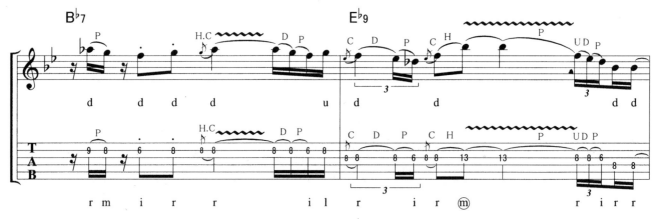

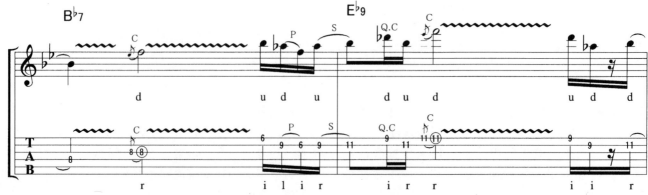

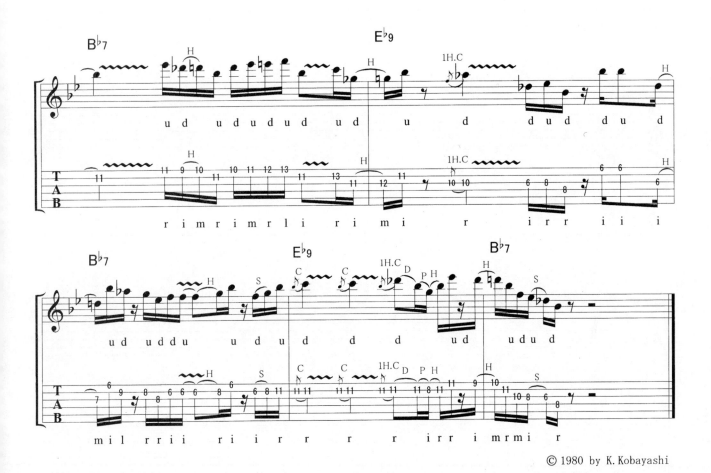

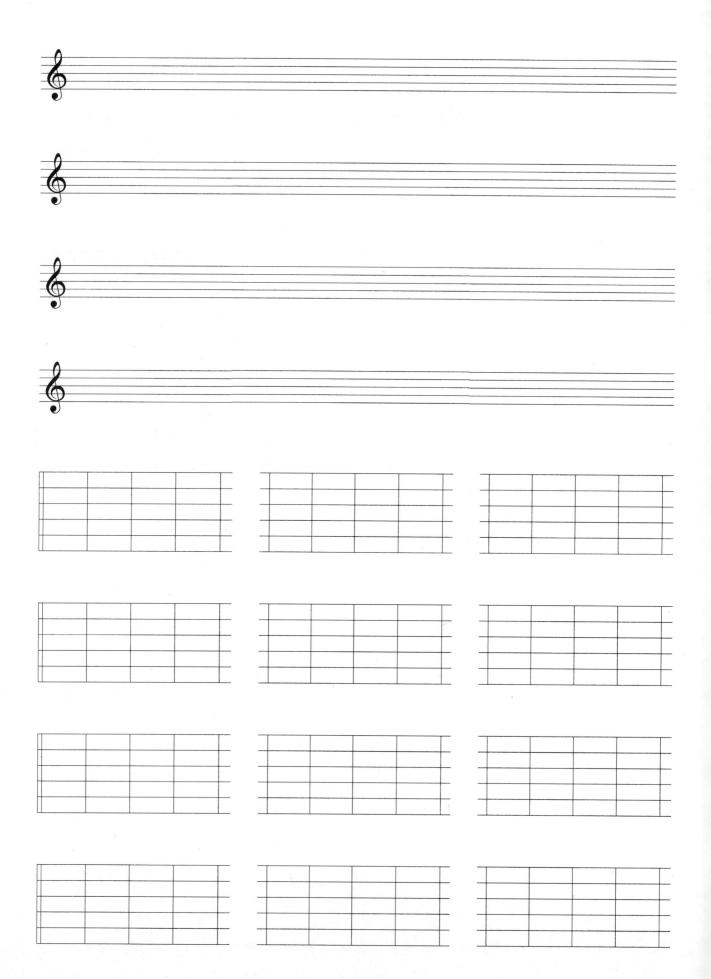

第十三章　拨片的技巧

　　在摇滚吉他中，左手的技巧相对较多；对于右手拨片的弹奏，好像也没有多少可说的地方。其实通过拨片细微的触弦，去改变乐句韵味的话，音乐的本身也会产生变化。但以前由于上述道理没有形成一定的理论，也没有很明确的表现形式，所以就容易被轻视。自从上世纪 70 年代后半期开始，由于出现了速弹和扫拨（Sweep）技巧后，拨片技巧的重要性才再度得到承认。为了能让读者掌握上述高难度的拨片技术，在本章中，从基础开始进行特训相关内容。

　　①拨片用 **d** 或 **u** 来弹奏时，即使在一根弦上能够轻松自如地弹奏，但一换弦的话就很难弹好；用 **d** 弹了①弦后，就只能用 **u** 来弹②弦等等。如上述的情况真是多不胜数。在此要好好练习基本的练习曲，切实掌握拨片上挑下拨的规律

　　谱例 132~136，是练习如何在演奏中使用拨片

CD **Tr.080**

谱例-132

谱例-133

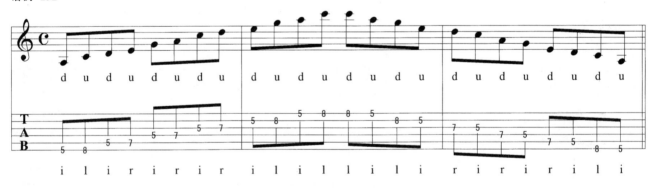

的。例 132、134、135 是 a 小调的五声音阶练习；谱例 133 是 C 大调音阶的练习；谱例 136 的乐句，使用了 C 和弦的构成音。谱例 132，每一根弦都要弹响两个音；谱例 133，每一根弦都要弹响三个音；谱例 134 和 135 都是来回弹两根弦；谱例 136 的每

一拍都是来回弹三根弦。最初练习时，要从慢速开始弹。在无数次反复练习的过程中，慢慢加快速度。第一步的要求是，掌握能弹出清晰声音的拨片技术。要重视弹奏的准确性，速度倒不必太在意。另外，像上述的基本练习，都是每天必不可少的。

CD Tr.081

谱例-134

谱例-135

谱例-136

②掌握位于含有空拨（休止符）的乐句中的交替拨弦，要做到能正确地表现出节奏感

所谓交替拨弦，并不是仅对谱面上所有的音符按顺序进行拨片的 d 和 u。就拿谱例 137 来说，五线谱上方标明的拨法就不能算是交替拨弦，从节奏上来说也不属于什么拨法类型，只是拨片按顺序弹奏每个音时的方向而已。注意，五线谱下面标明的才是交替拨弦：不管是什么音符或休止符，要合着节奏，拨片来回 d 和 u（用括号括起来的是空拨）。

在谱例 138 中，虽然把节奏的单位变成了十六分音符，但交替拨弦的要领还是和谱例 137 一样。

③交替拨弦是保持节奏正确的一个重要方法。这种方法通常是有效的，但如果拨片要快速移动到下一根弦时，特别是纵向移动到紧挨着的下一根弦时，上述的拨片交替拨弦的方法就不能说是好的了。尤其是对于速度性的乐句来说，就更不是那么有效。因为在快速乐句中，拨片下拨或上挑一次就应该弹两根以上的弦才好

CD **Tr.082**

谱例-137

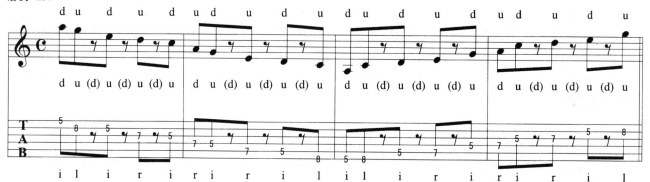

谱例-138

在谱例 139 的 EX1 中，拨片用一次 d 就弹了①、②弦的第 5 品；在接着的 EX2 中，拨片也是用一次 d 就弹了①、②弦的第 8 品。谱例 137 的 EX1 中拨片用一次 u 就弹了①、②弦的第 8 品；接着的 EX2 也是一样，拨片用一次 u 就弹了①、②弦的第 5 品。谱例 138 的 EX1 和 EX2 中，在弹那三根弦时，拨片采用 uu&d, 和 d&uu 两种方法。谱例 139 的 EX1 和 EX2，也采用 uu&d 和 d&uu 两种方法。大家应该明白，如此一来，不但可以使有规律变替拨弦方法变得更为有效，而且使用 d 连奏或 u 连奏时效率也会更高。另外，所谓拨片的一次弹奏，就是手腕不用一次又一次的甩动，只甩一次，就弹完了所有要弹的弦，打个比方，就像是在扫弦。在这里要注意的是拨片的角度：在 d 连奏的时候，如图 21，拨片的尖端要略微向上；而在 u 连奏的时候，如图 22，拨片的尖端要略微向下，这样才能流畅地弹弦。在这个拨片方法中，还有另一个要点：比方说弹奏谱例 139 的 EX1 时，①、②弦的 5 品音千万不要混为一体，也就是说，不要像弹和音那样，发出混在一起的声音。在这种场合，手指应该通过瞬间的动作，只按住应该弹到的音，这不是容易的技巧，首先要慢慢来，练习好左右手配合的时机。

接着到谱例 143，将 a 小调的音阶，分别用二连奏 d 和二连奏 u 来弹奏。

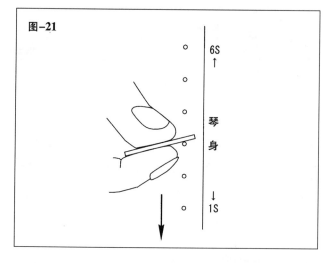

图-21

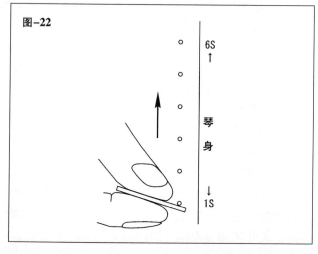

图-22

　　谱例144，将 a 小调五声音阶，分别用三连奏 d 和三连奏 u 来弹奏（这里所说的"三连奏"，就是指用拨片一次性弹完三根弦）。上述练习曲不管哪一种拨法，都是能运用在快速乐句里的有效类型。特别是谱例144，稍微改变了一点拨法，就带来了相应的难度，也随之带来了新鲜感。如果能将其运用到实际演奏中，应该是很有趣的。

④**通过 Practice 13，掌握交替拨弦、d 连奏和 u 连奏**

　　曲中从 G 调转到了 Fm 调，之后又再次回到 G 调。节奏是中速的 8beat，要严格遵循指定的 d、u 来弹奏，熟练掌握各个乐句。

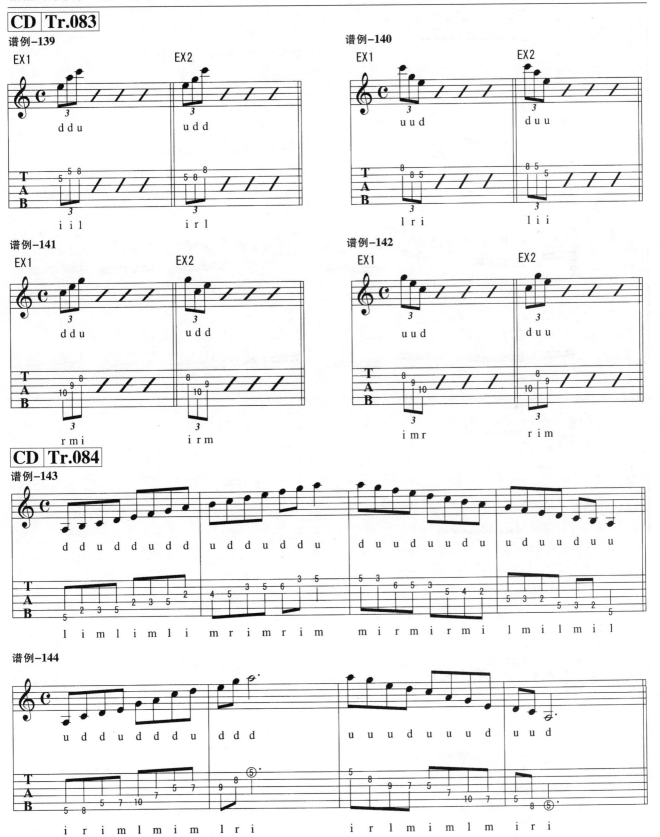

Practice 13 实用弹奏

© 1980 by K.Kobayashi

⑤掌握扫拨技巧

d连奏或u连奏的终极奏法,可以说就是扫拨(Sweep)了。Sweep这个单词,本身就有扫除的意思。因为在使用这个技巧时,感觉就好像是拨片在琴弦上扫过,所以命名为扫拨。在爵士、Fusion(融合音乐)吉他手中,可以说早就有了这种扫拨技巧的雏形。进入1980年代后,通过古典吉他手的努力,终于将其变成了更高级的扫拨技巧。到现在,使用这个技巧的话,吉他手可以用惊人的速度,一次性弹完五根或六根弦。将扫拨与谱例139~144的拨片奏法比较,扫拨的特点是,能一次性弹奏更多的弦。通常还能用不同和弦的组成音,来形成不同的乐句。

练习扫拨乐句的第一步,就是记住和弦音的"形式"。谱例145是Em7和弦,谱例145是E7和弦,谱例147是Emaj7和弦,每个谱例都分别在四个位置弹奏,在每个位置都弹奏到三根弦。如在EX1是④至⑥弦,在EX2是③至⑤弦,在EX3是②至④弦,在EX4是①至③弦,各谱例都是如此组合。首先,要让手指熟悉这些指法的形状,这点很重要。谱例145~147与谱例139~144一样,也是有两个重点。第一是拨片的角度,第二是为了不让声音混淆,要注意双手配合的时机。作为第二点的对策,就要使用到右手的掌沿,或者右手拇指的侧面,略微为弦制音。

CD Tr.087

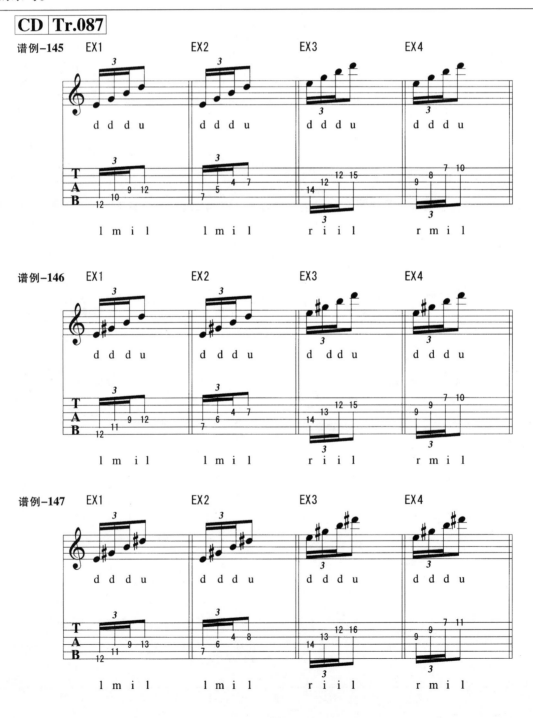

在现代摇滚界里，像谱例 145~147 那样，用扫拨弹奏三根以上的弦是最普通不过的。这些扫拨的典型形式是，Em 和弦型（四种类型）、E 和弦型（四种类型）、Cdim 和弦型，共九种类型。在这些类型里，使用得最多的也比较容易掌握的就是 Em、E 和弦的第一、三种类型。因此，建议先在这四个类型里练习扫拨。接着再去学习第二、四种类型以及 Cdim 类型，直到最终能在 Am、A、G、Gm、Dm、D、Ddim 乃至在一切和弦上弹奏扫拨。

练习的重点是：由于这里的指法比谱例 136~144 还要复杂，所以无论如何，左右手的时机一定要配合好。在用右手掌沿和拇指侧面制音的同时，要熟练掌握能弹出清晰声音的左手指法和拨片奏

法。为此，一开始练习时就要采用较慢的速度。如果不管三七二十一，一开始就用很快的速度来练习的话，左手指法和拨片奏法就会变得乱七八糟。用这种乱七八糟的状态来练习的结果，只能是越练越糟。所以，即使遇到速度要求较快的乐句，也要首先使用缓慢而正确的指法，进行合格的弹奏。之后再在每天坚持不懈的练习中，慢慢地提高速度。这样按部就班地练习的话，虽说进展较慢，但不管是谁，终究都能进行正确而又快速的弹奏。

最后，深入研究一下乐曲的调性、和弦进行、和弦组成音内容，把扫拨运用在实际乐曲中是最重要的。

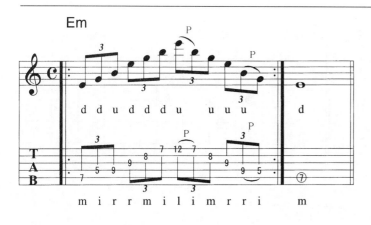
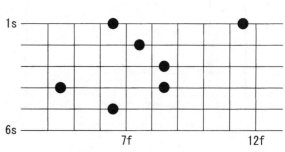

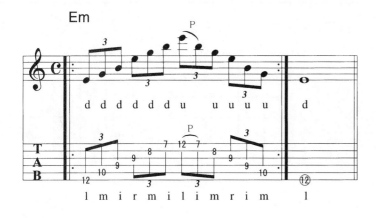
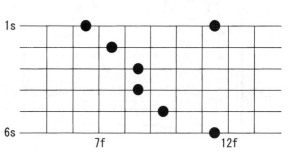

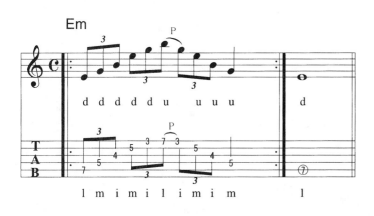
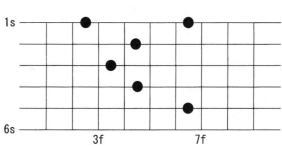

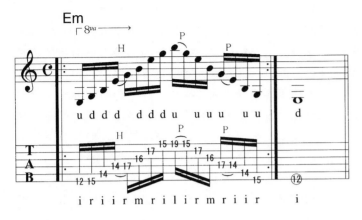
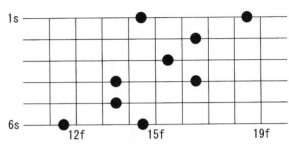

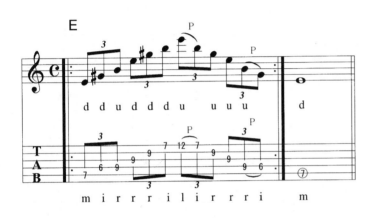
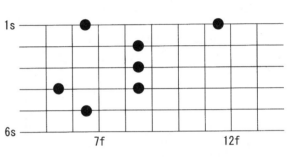

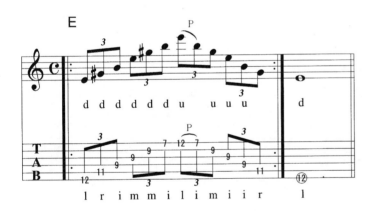
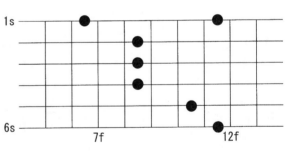

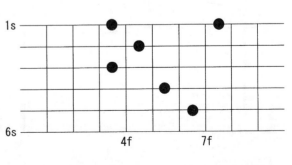

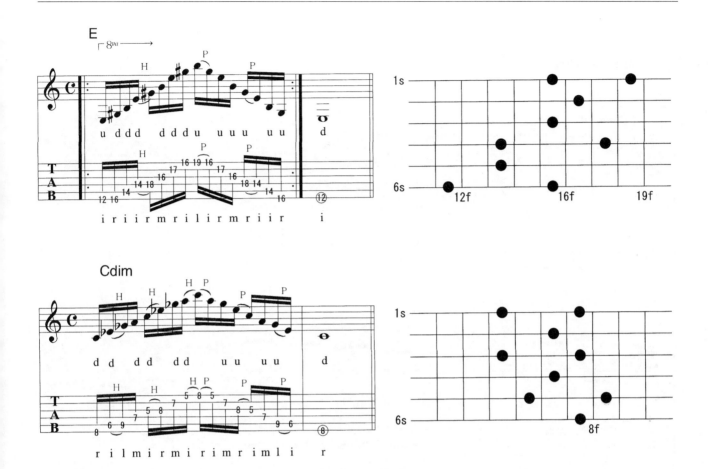

⑥练习谱例 148，通过弹奏①、②、③弦，掌握扫拨的左手指法和拨片奏法

谱例 145 是在①、②、③弦上弹奏的扫拨中使用得最多的类型。用到的和弦有：Am、E、G、F、C、G#dim。在三根弦上弹奏的有：三个小调和弦类型，三个大调和弦类型，还有一个 G#dim 和弦类型。

切实掌握这些类型，使自己弹奏的乐句更加生动。

⑦通过 Practice 14，掌握扫拨的乐句，并且让手指"记住"典型的和弦形式

这是 Gm 调的 Shuffle 乐曲，重点是三连音的节奏。扫拨最精彩的地方是第 9 小节后面的部分，应该首先掌握这个地方。

CD Tr.088

谱例-148

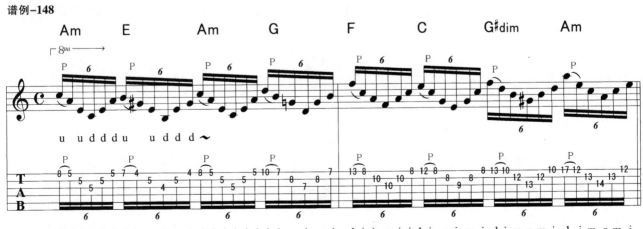

示范曲：**Tr.089**
伴奏曲：**Tr.090**

Practice 14 扫拨

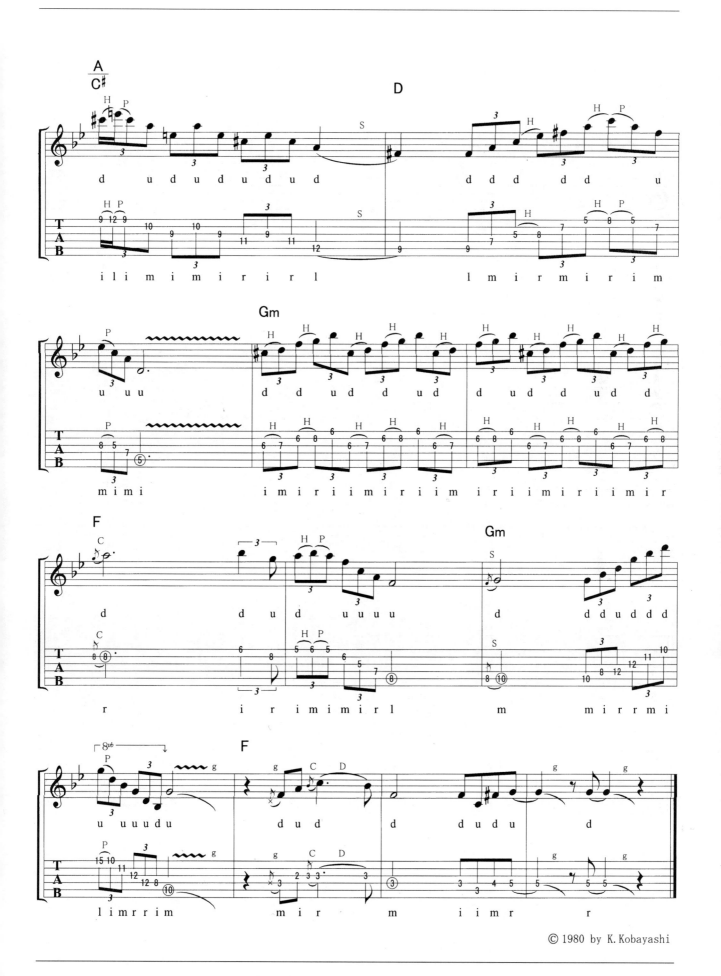

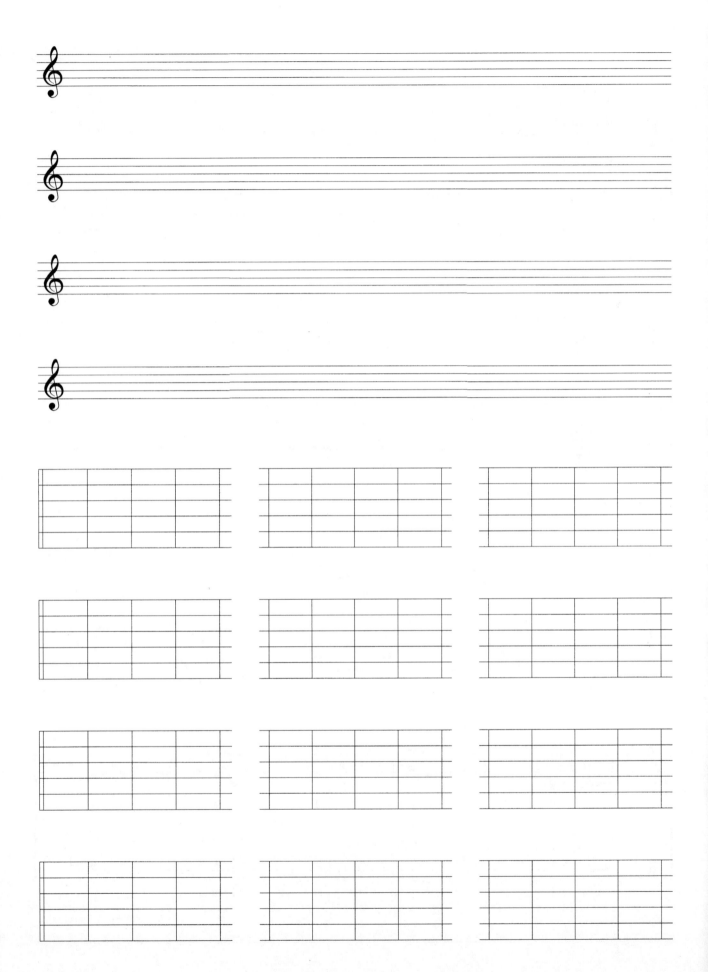

第十四章　点弦

在初级编中，已经学习了右手在一根弦上的点弦技巧。现在，学习其他的右手弹奏技巧。

①在多根弦的点弦中，有右手先行向其他的弦移动做点弦动作的，也有"左手先行"型。在实际的乐句中，这两种类型虽说可以混合使用，但最好还是先分开练习，重要的是用身体去把握手指在琴弦上移动的时机和感觉

所谓先行，就是先用哪一个手去按弦（或点弦）。谱例149的EX1，用右手食指先点弦（也可以用中指或无名指，只要是自己觉得舒服的手指）；而在EX2，却是先用左手无名指按品揸音。不管是哪一种类型，当然都是不要用拨片弹奏的。这时应该在指定的位置，用指定的手指去点弦发声。对点弦的要求是，不但要使声音发出足够的音量，而且不能有杂音。点弦的关键是，从低位置开始用力点弦，练习时也要遵循这个要领。

右手点弦的有关内容，虽说基本上和初级编中

的一样，但如果弦的移动和把位的移动过于复杂的话，最好将右手不用的手指搭在琴颈上以作辅助。

谱例150~153是谱例149的变奏曲。首先，谱例150和谱例151采用右手先行类型，而左手的指法分别是，在谱例150上每根弦按两个音，在谱例151上每根弦按三个音。谱例152和谱例153采用左手先行类型，这时左手指法分别是，在谱例152上每根弦按两个音，在谱例153上每根弦按三个音。

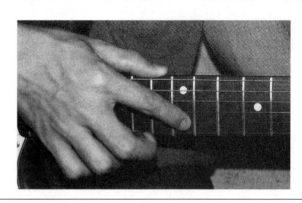

右手拇指搭在琴颈上

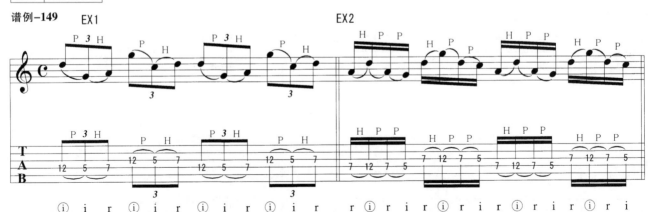

CD Tr.091

谱例-149　EX1　　　　　　　　　　　EX2

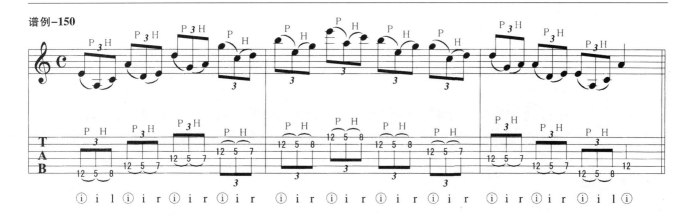

CD Tr.092

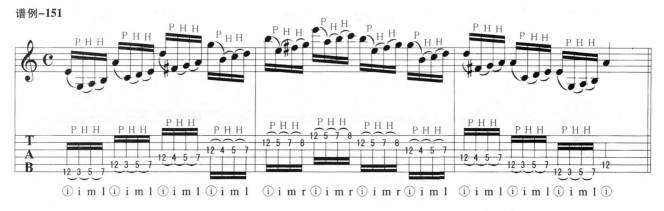

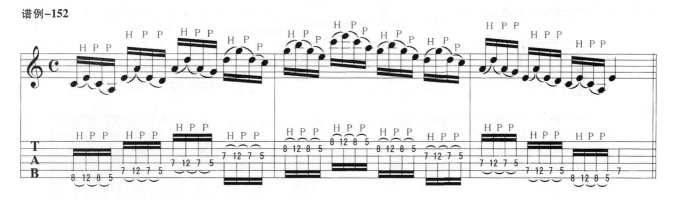

CD Tr.093

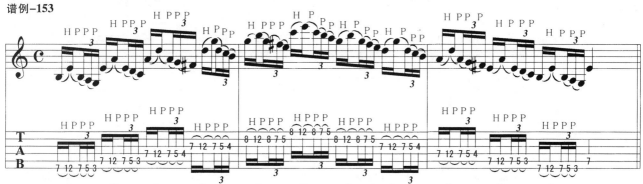

接下来的谱例154是范·海伦的点弦乐句。从第1小节开始的点弦就采用了右手先行来回在①、②弦上移动点弦。从第2小节的第4拍开始，采用左手无名指先行的捶弦，接着右手先点弦，然后勾弦，勾弦后马上进行推弦。由于节奏、速度的原因，在进行这个推弦的时候，就不能使用初级编中所说的推弦姿势了，而是仅用左手无名指的力量，将琴弦推上一定的高度。从第4小节开始，因为是开放弦的点弦，所以注意一定不要发出杂音，开放弦的点弦也是经常被使用到乐句中，所以要好好掌握。另外，练习曲中还存在着六连音、五连音、七连音等节奏复杂的音符，练习时要注意节奏。

②**使用右手食指来弹奏人工泛音，因为这种姿势看起来也是让右手手指到达琴颈部分一样，所以可以**

CD Tr.094

谱例-154

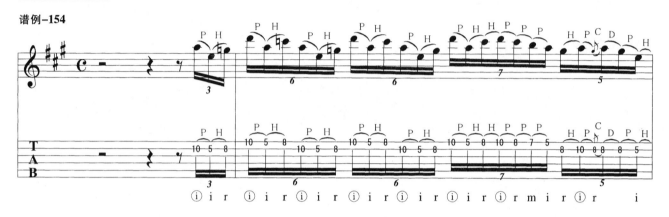

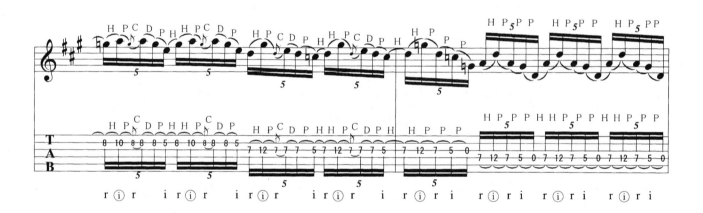

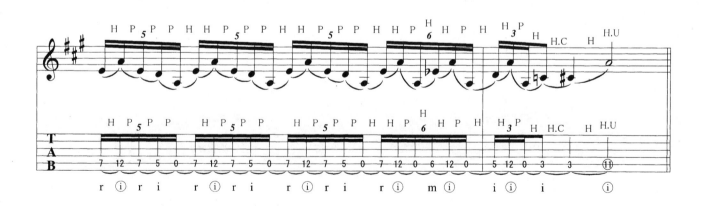

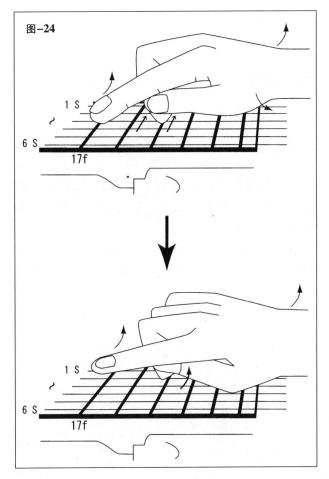

图-24

说，人工泛音是一种与点弦相似的技巧

　　这种奏法同时使用右手食指和拨片。首先假设一下，用左手按住③弦 5 品 C 音。这样的话，它的八度音就是③弦 17 品 C 音（相当于相隔 12 品）。接着，像图 23 那样摆好右手姿势。右手食指在第 17 品品柱的正上方轻轻地触弦，同时用拇指和中指拿住拨片弹弦。在这里，希望大家回忆一下初级编中学过的用空弦音的泛音来为吉他调音的方法，也就是说，在拨片弹弦的瞬间，触弦的手指要马上离开琴弦（在这里是右手食指）。如果能像图 24 那样，加上手腕的摆动，几乎是在手指离开琴弦的那一瞬间拨片再用力弹弦的话，效果会更好。

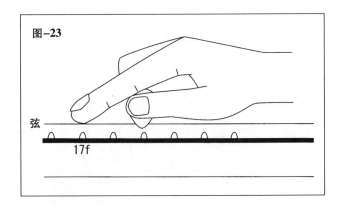

图-23

弦

17f

CD **Tr.095**

谱例-155

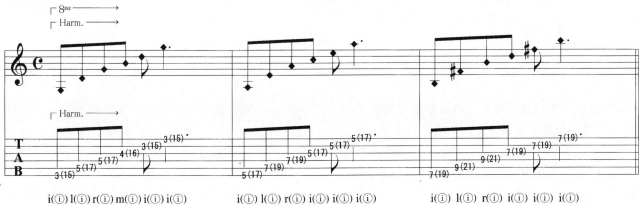

i(ⓘ) l(ⓘ) r(ⓘ) m(ⓘ) i(ⓘ) i(ⓘ)　i(ⓘ) l(ⓘ) r(ⓘ) i(ⓘ) i(ⓘ) i(ⓘ)　i(ⓘ) l(ⓘ) r(ⓘ) i(ⓘ) i(ⓘ) i(ⓘ)

谱例-156

i(ⓘ) r(ⓘ) m(ⓘ) l(ⓘ) m(ⓘ) r(ⓘ)

　　谱例 155 和谱例 156 是右手食指人工泛音的练习。在谱例 155 中，左手按着和弦（G、Am、Bm），右手食指在左手所按音的八度音上（加 12 品）触弦并弹响。在右手食指触弦时，注意一定不要在拨片弹弦后再触弦（触弦和弹弦应该是几乎同时地进行）。谱例 156，乐句中含有下行音阶。像上述那样，使用右手食指弹奏的泛音，也经常作为过门来使用。努力练习，直至在各弦、各把位都能够随时弹出漂亮的泛音。

③说到点弦技巧系列中的泛音奏法，就不能忘记摇滚吉他手们经常使用的点弦泛音。比起②中说过的人工泛音奏法，点弦泛音在音色上比较尖锐。因为它可以弹得很快，所以对于摇滚乐来说，它也是不可或缺的技巧

　　所谓点弦泛音，就是不用拨片，靠右手手指点击品柱正上方的琴弦来得到泛音。②中所说的人工泛音奏法，多是弹奏和弦时使用。而点弦泛音，不管是弹和弦还是弹主音，都可以使用。所以如果能切实掌握点弦泛音的话，会给你的演奏带来很大方便。

　　那么，现在就在和②一样的位置上（左手在③弦5品），练习点弦泛音。右手点弦的位置也同样

在③弦17品。这次要像图25那样，看准品柱上的弦，用右手手指点击下去。这个动作如果像摇弦后那样按着品位的话，肯定是错误的。在这里，点击后，手指快速离弦是最重要的。通过手腕的转动，使手指快速离开琴弦。打个比方，就好像手指触到了炭火，马上就缩回来了，用这种感觉来使手快速离开琴弦。另外，因为点弦泛音要求右手快速移动，如果像普通点弦那样，将拇指放在琴颈上稳定点弦的话，就很难弹出点弦泛音。虽说准确地点击品柱可以更有效地弹奏，但如果手指离弦不够快的话，也很难弹出点弦泛音。要想点击在正确的位置，就需要一种相应的习惯动作，如能坚持不懈的练习就一定会成功。

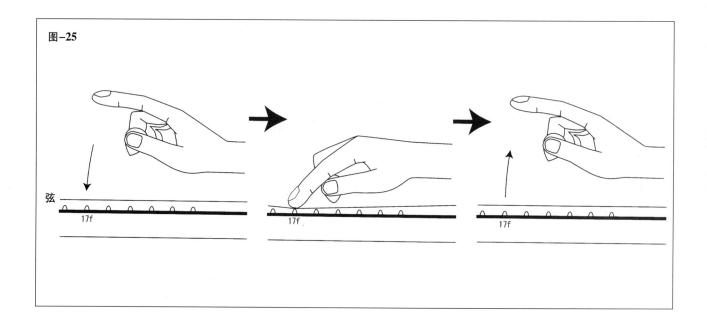

图-25

④除了高出一个八度的泛音，再试着挑战高出一个八度+五度的泛音，以及高出两个八度的泛音

　　首先是谱例157，这是在开放弦的状态下弹出的普通泛音及其位置。看着这个练习就明白，各弦都是第12品的泛音比空弦音高一个八度，第7品的泛音比空弦音高一个八度+五度，第5品的泛音比空弦音高两个八度。由于弦乐器（这里指吉他）的特性，在12品、7品、5品上，就得到了不同的泛音。个中原理，应该和"从左手按品的位置数起第几品上是泛音点"的道理是一样的。根据这个道理，从左手按品的位置起往后再加12品（或加7品、5品），用②、③所说的方法点击这个得出的品位，就得到了各种各样的泛音。

　　弹奏谱例158、159，掌握加5、7、12品后三个位置上的泛音。希望把谱例158作为主音乐句来弹奏，把谱例159作为和弦来弹奏。另外，六线谱

上用括号圈住的数字表示右手的弹奏位置，请仔细检查。泛音是否清晰，取决于右手靠近左手的程度，所以一定要重点练习5、7品上的泛音。从上述已经得知，7品上的泛音，比空弦音（或者是实际按着的品位）高一个八度+五度。所以，谱例159中，在Cmaj7和弦的位置再加7品的地方，弹奏这个和弦的泛音时，就变成了Gmaj7和弦的声音，这点一定要注意。

　　谱例160，是范·海伦风格的点弦泛音。用③的方法，弹奏加5或7品后的泛音。

⑤通过 Practice 15，练习在换弦时的点弦技巧和点弦泛音奏法

　　这是Bm调、速度较快的8beat乐曲。因为是在常规乐曲中使用了点弦技巧，所以在使用右手点弦时，拨片的换指方法和时机，也成为了一个重要的课题。

CD Tr.098

谱例-157

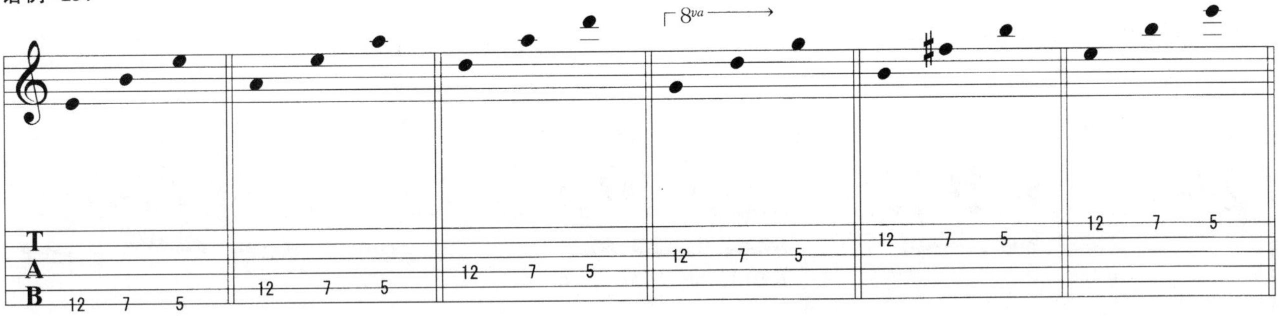

谱例-158

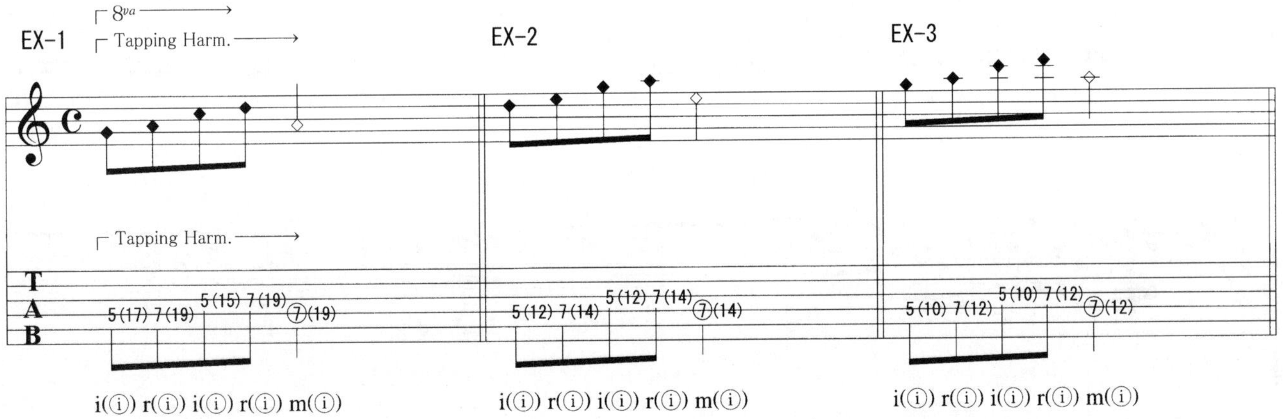

谱例-159

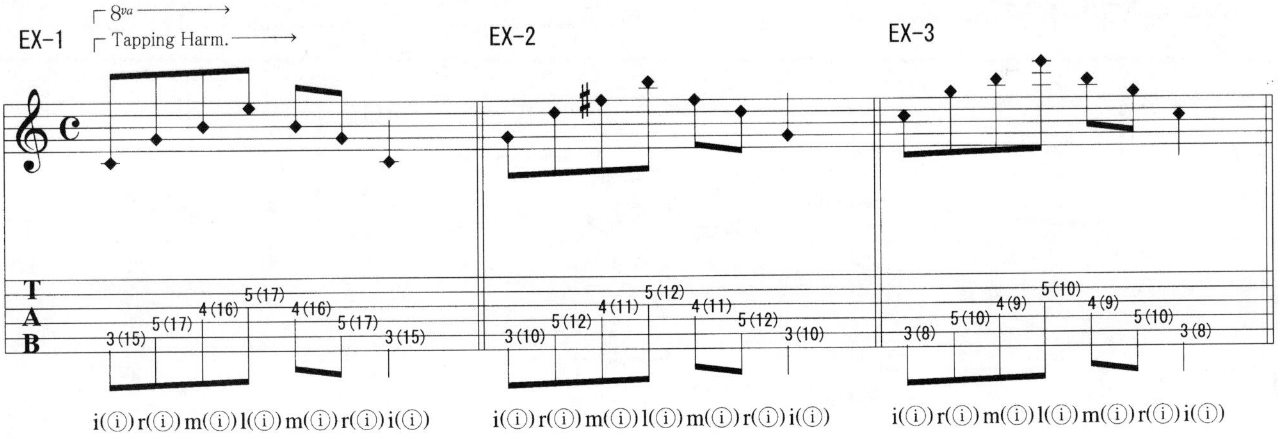

谱例-160

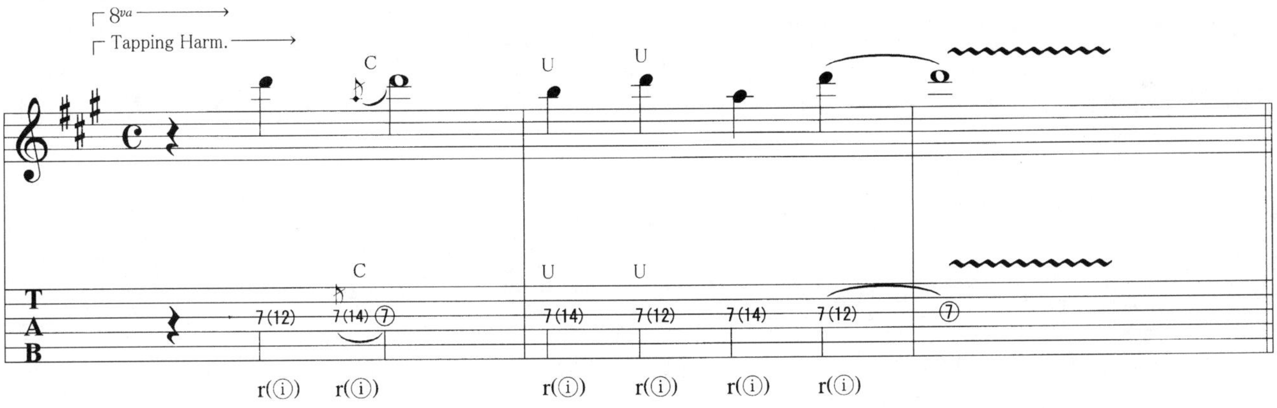

示范曲：**Tr.096**
伴奏曲：**Tr.097**

Practice 15 点弦

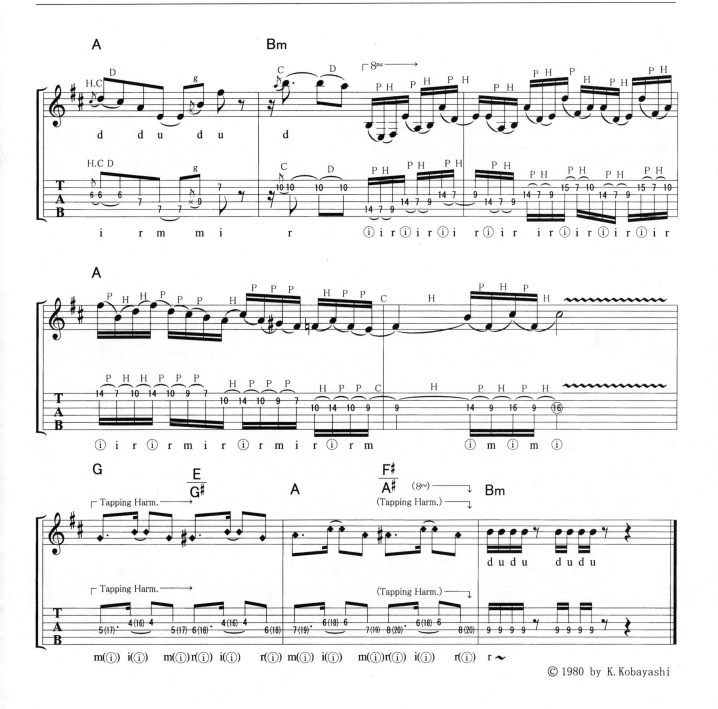

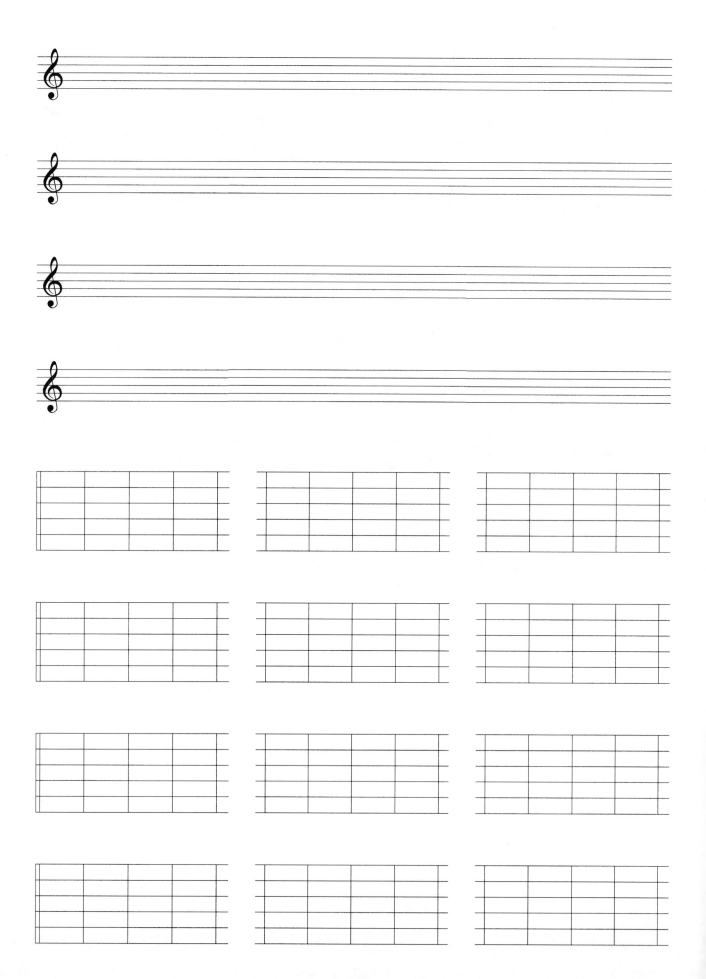

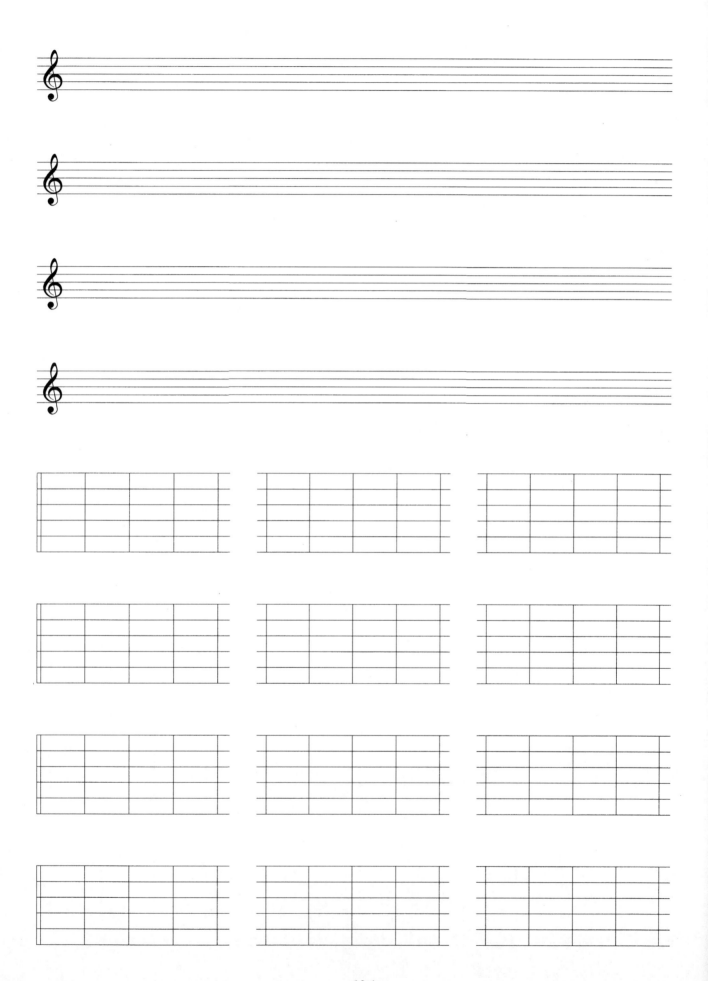

编后记

许多吉他教师和吉他学习者都曾向我问起，怎么不做一套正版的《小林克己摇滚吉他教室》，因为他们觉得这套经典的教材是很适合教学和学习的，而市面上泛滥的盗版书质量很差，版本既老翻译又不准确，印制极粗糙，配套磁带连音都不准。于是我便有了做这套书的想法，在颇费了一番周章后，现在你们终于可以看到它了。

广西大学的杨洋、湘潭大学外国语学院的龙坚和王进分头翻译了这本书，最后由王乐林逐句整理校对并统一书中所有的术语。

感谢杨洋、龙坚和王进的努力，原书中遍布很不好分辨的日文外来语，我知道他们翻译得很辛苦，特别要提到的是，书中很多术语都是由于杨洋亲自向小林克己老师请教，然后才得到了准确的翻译。

感谢王乐林和其他吉他界、琴行以及书店的朋友提出的一些建议，比如建议将三张容量的CD改成两张CD来装载等等，这些建议减轻了读者的一些购书负担……

本书为《小林克己摇滚吉他教室》日文最新版的中文译本。

相比以往老的版本，本书将更多的篇幅放在对电吉他技术技巧的深入阐述上，对于如何用来技巧形成音乐感觉有了更为详细的解释。这对于中国读者来说无疑更具实际意义。

在最新版本中，小林克己老师删除了老版本中的实践曲部分，其中原因有版权问题在内，更重要的是因为这些曲谱大多为上世纪70年代及以前的作品，已不能满足目前读者的需要了。在此推荐各位琴友使用由台湾知名吉他手潘学观老师编写的《疯狂电吉他》一书来完成电吉他技巧的实践，因为此书不但选曲更为现代，书中还不约而同地选取了老版本《小林克己摇滚吉他教室》中一些值得保留的经典的曲目。

关于老版本中的高级篇，主要是讲述吉他即兴演奏的内容，小林克己老师认为原高级篇篇幅较小无法将即兴演奏阐述得很完整，已决定在日本不再出版了，所以也无从购得版权。在此建议各位有本书初级程度以上的琴友，可通过由我国台湾地区引进的《弦外知音》、《你也可以弹爵士与蓝调》两本书来学习即兴演奏。《弦外知音》是目前国内能见到的惟一一本即兴演奏教材，主要从实践的角度来学习吉他的即兴演奏；而《你也可以弹爵士与蓝调》则是以钢琴为媒介，使用大量的文字来讲述什么是即兴演奏以及如何开始即兴演奏，对吉他学习者来说，能从文字方面帮助理解即兴演奏的原理。应该说，这两本书可以比原高级篇更能让各位琴友学习好即兴演奏。

借题发挥一下。其实学习电吉他应该是一个系统工程，成为一个好的吉他手需要有多方面的音乐素养。本书也许只是一个开始，你还可以使用我社出版的一些真正具有专业品质的音乐图书来充实自己。比如通过《天才吉他手江建民亲自教您弹吉他》来学习编曲知识以及录音室的一些工作方式；通过《摇滚吉他实用教材》来在吉他上熟悉更多的音阶；通过《摇滚吉他大师》来了解更多的电吉他技巧花样；通过《吉他和弦百科》学习吉他的乐理知识；如果你已经成为乐队里的吉他手，你最好能在《专业音响实务秘笈》中学一些关于现场和录音室的音响知识……

真诚希望各位琴友能从本书中得到教益和帮助，如果你们觉得能有一些收获，将是我深感快乐的事情。

感谢你购买、阅读了本书。

何 征

E-mail : music-he@163.com

Tel : 0731-8885103

[余晓维 编著]

BEYOND 乐队
经典吉他SOLO详解

附赠双光碟
VCD + CD
视频讲解 练习伴奏
[余晓维 编著]

湖南文艺出版社

定价:**24**元(含1VCD+1CD)

摇滚二十年光辉岁月

无数乐迷心中不朽的神话
一群热爱音乐的年轻人
历时两年精心打造

国内首套Beyond乐队风格VCD教材
原版谱例高品质数码录音录像

附赠双光碟
VCD + CD
视频讲解 练习伴奏

01 不再犹豫(前奏)
02 不再犹豫(间奏)
03 AMANI(间奏)
04 海阔天空(尾奏)
05 光辉岁月(前奏)
06 光辉岁月(间奏)
07 喜欢你(间奏)
08 谁伴我闯荡(前奏)
09 谁伴我闯荡(间奏)
10 谁伴我闯荡(间奏)
11 遥远的 PARADISE(间奏)
12 原谅我今天(间奏)

13 真的爱你(尾奏)
14 真的爱你(前奏)
15 真的爱你(间奏)
16 真的爱你(尾奏)
17 灰色轨迹(间奏)
18 灰色轨迹(尾奏)
19 卑面派对(前奏)
20 俾面派对(间奏)
21 俾面派对(尾奏)
22 岁月无声(整曲)
23 无声的叹息(前奏)
24 无声的叹息(间奏)
25 爱似狂潮(独奏曲)

[余晓维 编著]

BEYOND 乐队
经典吉他SOLO详解 续

附赠 3 光碟
2VCD + CD
视频讲解 练习伴奏
[余晓维 编著]

提供吉他改编高品质原版伴奏(CD)
原版曲谱·文字讲解

湖南文艺出版社

定价:**34**元(含2VCD+1CD)

再续《BEYOND乐队经典吉他SOLO详解》
完整总结BEYOND乐队SOLO精华

谱例正规完整
制作精美严谨
视频讲解详尽专业

21首歌33段SOLO
特别收录
摇滚卡农·JERRY-C改编
五彩云霞·余晓维改编

附赠 3 光碟
2VCD + CD
视频讲解 练习伴奏

01 长城(间奏)
02 报答一生(前奏)
03 报答一生(间奏)
04 抗战二十年(间奏)
05 情人(间奏)
06 情人(尾奏)
07 孤单一吻(间奏)
08 孤单一吻(尾奏)
09 点解 点解(间奏)
10 点解 点解(尾奏)
11 逝去的日子(前奏)
12 逝去的日子(间奏)
13 再见理想(前奏)
14 再见理想(间奏)
15 无语问苍天(间奏)
16 交织千颗心(前奏)
17 交织千颗心(间奏)

18 LOVE(间奏)
19 LOVE(尾奏)
20 缺口(前奏)
21 缺口(间奏1)
22 缺口(间奏2)
23 冷雨夜(间奏)
24 海阔天空(尾奏)
25 曾经拥有(间奏)
26 旧日的足迹(前奏)
27 旧日的足迹(间奏)
28 旧日的足迹(尾奏)
29 昔日舞曲(整曲)
30 开场曲+我是愤怒(整曲)
31 摇滚卡农(整曲)
32 原创作品-五彩云霞(独奏曲)

附录:电吉他技巧符号详解

图书在版编目(CIP)数据

小林克己摇滚吉他教室中级篇/(日)小林克己著:杨洋等译.
一长沙:湖南文艺出版社,2003.4(2007.4 重印)
ISBN 978-7-5404-2946-1

Ⅰ.小… Ⅱ.①小… ②杨… Ⅲ.六弦琴—奏法—教材 Ⅳ.J623.26

中国版本图书馆 CIP 数据核字(2003)第 009511 号

湖南省版权局著作权合同登记章
图字18-2003-061

KOBAYASHI KATSUMI NO ROCK GUITAR KYOSHITSU SHUKYU-HEN
Copyright © 2001 by Katsumi KOBAYASHI
Chinese translation rights arranged with RGS Inc.,Tokyo
Through Japan UNI Agency, Inc., Tokyo and Vantage Copyright Agency, Nanning

版权代理: 广西万达版权代理中心

小林克己摇滚吉他教室—中级篇

〔日〕小林克己/著　　杨洋等/译

责任编辑/何征

湖南文艺出版社出版、发行
(长沙市雨花区东二环一段 508 号　邮编:410014)
湖南省新华书店经销
湖南天闻新华印务有限公司印刷

2003 年 4 月第 1 版　2009 年 6 月第 7 次印刷
开　本/880×1230 毫米　1/16
印　张/8
字　数/230,000
印　数/40,001—45,000
书　号/ISBN 978-7-5404-2946-1
定　价/25.00 元 (含 CD)

若有质量问题,请直接与本社出版科联系